CRWYDRO
BRO LLEU

Dewi Tomos

Gwasg Carreg Gwalch

ⓗ   *Gwasg Carreg Gwalch*

Argraffiad Cyntaf: Ebrill 1990

*Clawr: Plant Ysgol Penygroes ar gopa Mynydd y Cilgwyn
(Llun: Yr Awdur)*

*Rhif Llyfr Safonol Rhyngwladol
0-86381-151-5*

*Lluniau gan yr Awdur.
Mapiau a diagramau gan Ken Gruffydd.*

I
MAIR

"Mae'r awdur yn manylu gydag awdurdod ar hanes chwareli a rheilffyrdd bychain niferus y cylch ar y naill law ac ar lysiau a daeareg ar y llaw arall. Mae'n dyfynnu'n helaeth o waith awduron fel Pennant, Peter Bailey Williams ac O.M. Edwards, yn ogystal ag o weithiau llenorion y fro, mawr a mân. Fel ei dad a'i daid o'i flaen, mae'n frodor o'r cylch ac wedi ymdrwytho yn ei hanes a'i chwedloniaeth. . .

Mae'r awdur yn ŵr o ddiwylliant nodedig eang, mae'n adnabod y cylch fel cledr ei law ac, ar ei orau, mae ei arddull yn deilwng o draddodiad llenyddol anhygoel gyfoethog y fro y mae'n ei charu cymaint. Mae'n ddyletswydd ar ryw wasg i'w helpu i roi clasur bychan i'r cenedlaethau a ddêl."

(Dyfyniad o feirniadaeth Ioan Bowen Rees yn Eisteddfod Genedlaethol Y Rhyl, 1985.)

CYNNWYS

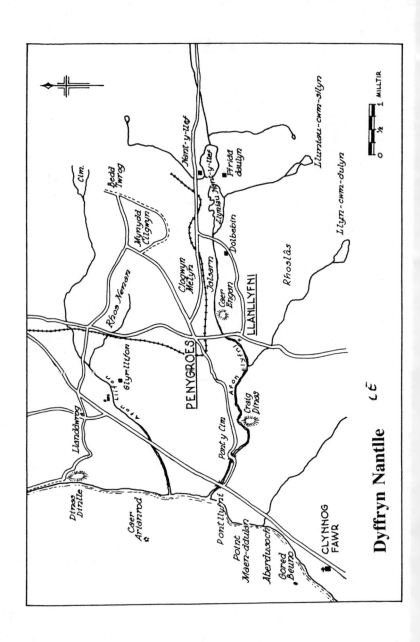

Dyffryn Nantlle

CYFLWYNIAD

Mwyn fraich yr haul am hen fro'r chwareli
Sy'n cofleidio Dôl Pebin wrth godi;
Y wawr uwch Nantlle'n torri'n berlau tân
Hyd erwau glân dyffryn duw'r goleuni.

Emrys Roberts, Lleu.

Teithiau yn Nyffryn Nantlle a'r cyffiniau sydd yn y gyfrol hon: ardal gwerth ei hadnabod, ardal gyfoethog mewn chwedl, hanes, golygfeydd a bywyd gwyllt. Rydym o fewn tafliad carreg i galon Eryri ond eto o fewn golwg y môr, a rhydd hyn amrywiaeth eang mewn golygfa a bywyd gwyllt. Mae'n fro llawn chwedloniaeth, cewch droedio lle bu Gwydion a Gilfaethwy, Arianrhod, Lleu a Blodeuwedd. O Abermenai i Gaer Arianrhod, o Ddinas Lleu i Nant Lleu, rydym yng nghwmni hudolus duwiau plentyndod ein hil. Bu'r mynyddoedd yn dyst i'n hanes o'r dechrau, o'r cytiau cerrig ar gopa'r Eifl a Chaer Engan i gyfnod amaethu, clirio'r coed a sefydlu'r hendref a'r hafod. Yna, daeth y cyfnod pan heriodd dyn y mynydd a chloddio i chwilio am gopr, plwm a llechi. Erys y creithiau yn dyst i brysurdeb yr oes a fu pan ddylifodd dynion wrth y cannoedd i gloddio'r graig las. Dyma gyfnod twf y pentrefi a chodi'r mân dyddynnod ar y llechweddau. Rhaid peidio ag anghofio am y môr, wrth gwrs: bu llongau'n hwylio ar hyd y glannau hyn ers dyddiau Macsen Wledig, a draw dros y gorwel yr hwyliodd llongau Bendigeidfran i ddial cam ei chwaer. Mi welais fynyddoedd Wicklow sawl tro o lethrau'r Cilgwyn a breuddwydio am gael croesi atynt:

"Hawdd yw dwedyd — dacw'r Wyddfa,
Nid eir trosti ond yn ara."

Mae angen ymdrech i gerdded mynyddoedd, ac mi ellid gweld nifer o'r golygfeydd yn y teithiau canlynol mewn dim o dro mewn car. Ond fedrwch chi glywed cri'r gylfinir ar ffrid agored neu arogli'r gwyddfid ar ffordd gul fin nos o haf neu deimlo gwynt y mynydd yn 'sgubo'r gwe o'r ymenydd ac adnabod blodau bôn y gwrych?

Mae perygl i ni fynd yn gymdeithas ddiog, heb gysylltiad â byd natur wrth yrru o'r ffatri a'r swyddfa adref i wylio'r bocs bondigrybwyll. Yn ogystal â bod yn llesol i'n hiechyd, does yr un ffordd amgenach o ddod i adnabod ardal na cherdded ei ffyrdd a'i llwybrau a bachu ar y cyfle i gael sgwrs â'r brodorion. Mi deimlwch lawer gwell ar ôl cerdded: mae cael hoe hamddenol o ruthr bywyd yn llesol i'r enaid. Cawn hefyd fynd yn ôl troed eraill a groniclodd eu teithiau. Cewch weld faint o newid a fu ers dyddiau Gerallt Gymro, John Rhys, Thomas Pennant, Peter Bailey Williams ac O.M. Edwards.

Dyna ddigon o ragymadroddi, fe ddylech fod yn ysu am gael cychwyn allan erbyn hyn. Ond cyn mynd, paratowch, a gofalwch bod gennych:-

★ Esgidiau cryf, yn dal dŵr.

★ Dillad pwrpasol. Cofiwch pa mor anwadal yw'r tywydd, mae dillad glaw'n anhepgor i'r cerddwr, a dillad cynnes i'r mynydd.

★ Map o'r ardal. Er bod mapiau gyda phob taith, byddai'n ddoeth i chi gael map O.S. — rhai graddfa 1: 25000 yw'r gorau — dengys rhain bob llwybr, tŷ, clawdd a chae.
Y mapiau fydd o ddefnydd ichi yw:
Snowdonia National Park — Snowdon 1: 25000
Caernarfon & Bangor — Sh. 115, 1: 50000.

Cofiwch nad yw arwydd llwybr ar fap bob tro'n golygu bod hawl gennych i'w droedio. Parchwch hawliau'r perchennog.

★ Ar y mynydd — rwcsac, cwmpawd, pib, offer cymorth cyntaf — a bwyd a diod yn y rwcsac! Ceisiwch gael cwmpeini ar y mynydd, yn enwedig os nad ydych yn fynyddwr profiadol.

★ Yn olaf — ond yn bwysicaf — synnwyr cyffredin. Peidiwch â bod ofn troi'n ôl os gwaethyga'r tywydd. Nid goresgyn

8

mynydd na thywydd a wnawn ond gwrando, sylwi, a chymryd pwyll. Peidiwch â mynd yn agos at fynydd dan eira heb yr offer a'r profiad angenrheidiol, gall llwybr hawdd ym mis Awst fod yn angheuol fis Ionawr.

Hwyl ar y cerdded!

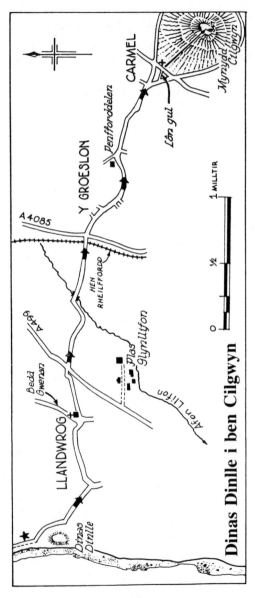

Dinas Dinlle i ben Cilgwyn

1. O DDINAS DINLLE I BEN CILGWYN

Cyfarwyddiadau

Hyd y daith: 5 milltir
Ansawdd: Ffordd 4½m. Mynydd ½m — gwair, hawdd i'w dringo.

Cychwyn o Ddinas Dinlle — tro cyntaf i'r chwith, arwydd am Landwrog — ail i'r chwith ym mhentref Llandwrog (arwydd lôn gul) — i'r dde, ac ymhen rhai camau croesi'r briffordd (A499) ac i fyny Lôn Cefn Glyn — croesi'r briffordd (A4085) yn y Groeslon — i fyny'r allt am Garmel — fforch ar y dde wrth gyrraedd Carmel — heibio'r rhes isaf o dai cyngor — llwybr rhwng dwy wal gerrig ar y chwith at gapel Carmel — drwy giat y mynydd ac i'r copa.

Y Daith

O lan y môr i ben y mynydd yr awn i dorri cŵys y crwydro, taith o ryw bum milltir gan esgyn 1130 troedfedd. Byddwn yn dilyn camau Syr O.M. Edwards a ddisgrifiodd ei daith "O Ddinas Dinlle i ben Carmel" yn *Yn y Wlad*. Yng ngwanwyn 1913 y bu ef ar hyd y ffordd hon: tybed beth fyddai ei argraffiadau dros 70 mlynedd yn ddiweddarach? Wel, i ffwrdd â ni.

Wrth droi allan o Ddinas Dinlle mi welwch dŵr main eglwys Llandwrog yn llechu yn y coed, coedwig Glynllifon fel hugan dywyll, a thu cefn linell fawreddog o wylwyr mud, o bigyn Elidir ar y chwith heibio Moel Eilio, Moel Tryfan, Mynydd Mawr, Mynydd y Cilgwyn, Mynyddoedd Drws-y-coed a Thal-y-mignedd, Cwm Silyn a Chwm Dulyn, mast Nebo fel gwaywffon, a thu draw iddynt hwythau, y berl o frenhines. Sawl tro y syllais tua'r mynyddoedd yma o draeth Dinas Dinlle, a phob edrychiad yn gyfareddol wahanol. Cysgodion tywyll y cymoedd yn y boreau, cymylau pinc yn rowlio dros y copaön gyda'r nos, awyr asur ac eira cannaid fis Ionawr, y gwair yn grimp a'r grug yn borffor ganol haf. Bryd hynny, byddaf yn difaru fy mod yng nghanol y tyrfaoedd yn torheulo ac nid ar unigedd yr uchelderau.

Mi awn heibio ffermydd Bod-hyfryd a Tai-gwynion yn y man. Mae tir gwastad yma, a ffermydd llewyrchus o'u cymharu â'r tyddynnod a welwn ymhen sbel. Ymestyn plwyf Llandwrog o lan y môr i gopa Mynydd Mawr a siâp tebyg sydd i'r plwyfi cyfagos. Pan sefydlodd y seintiau cynnar fel Twrog, Beuno a Gwyndaf eu llannau ar y gwastatir, yma ar y tir bras yr amaethai'r bobl, ond anfonent eu defaid a'u gwartheg i bori'r tir mynydd dros fisoedd yr haf. Hefyd, fel y llenwid y tir gorau, cliriwyd coed a chodwyd tyddynnod yn uwch ar y llethrau o dipyn i beth dros y blynyddoedd. Felly'r llwybrau i fyny ac i lawr y plwyfi yw'r rhai hynaf, a'r rheiny oedd y rhai pwysicaf ers talwm. Dyma ni felly'n teithio llwybr hynaf yr ardal, oedd mewn bod ymhell cyn y pentrefi. Rhos-nennan oedd yr enw ar ardal y Groeslon bryd hynny a Bryn Melyn oedd hen enw ardal Carmel.

A dyma ni wedi cyrraedd Llandwrog: clwstwr o dai yn swatio o gwmpas yr eglwys, a dylanwad stâd Glynllifon yn drwm arno dros y canrifoedd. Tyfodd y pentref yn ddiweddar pan godwyd stadau o dai moethus. Gofaled rhag gadael i'n pentrefi bychain ddatblygu'n rhy sydyn a llenwi ac estroniaid na fydd yn cyfrannu at y bywyd cymdeithasol. Mae digon o fywyd a mentr yma, fodd bynnag: mae'r siop/llythyrdy newydd o'r enw Y Becws yn dyst o hynny. Becws oedd yma'n wreiddiol, rhag ofn i chi feddwl bod pobl Llandwrog yn rhai od ar y naw yn gwerthu stampiau yn lle bara mewn becws! Wrth ochr y siop, sylwch ar y tŷ gwyngalchog â'r englyn hwn uwch drws yr hen Bost.

> I wneud arian yn Llandwrog — i'r Post
> Yr â pawb yn selog.
> Hwn yw'r lle y rhoddir llog
> I'r cynnil ar eu ceiniog.

Bu cryn fusnes yma dros gyfnod y rhyfel gyda holl brysurdeb y Maes Awyr. Symudodd y llythyrdy oddi yma gyferbyn â'r dafarn, ond caewyd hwnnw rai blynyddoedd yn ôl. Rhyw ddwy flynedd yn ôl penderfynodd y pentrefwyr ffurfio Cymdeithas Llandwrog a chyda cymorth Cyngor Arfon codwyd yr adeilad newydd sy'n awr yn siop a llythyrdy, dan reolaeth y Gymdeithas. Methu bod yn ymarferol fel hyn yw'n gwendid fel Cymry, gwell gennym gwyno a gadael i bethau fel arfer. Yr un criw ymroddedig sy'n gyfrifol am gynnal Ffair Ŵyl Ifan hynod o fywiog a llwyddiannus ers deng mlynedd bellach. Glywsoch chi gyfeirio at Landwrog fel 'Beverley Hills Cymru'? Wel, yma mae teicŵns teledu S4C yn byw: Huw Jones, Wil Aaron a'r actores Iola Gregory.

Medrwch ddarllen penillion gan Eben Fardd ar fur yr *Harp Inn*, neu Tŷ'n Llan i'r trigolion. Gyferbyn mae eglwys y plwyf, Eglwys Sant Twrog:

"Bethel ar yr aswy a'r Bedol ar y dde."

Mae'n debyg i Twrog sefydlu eglwys yma yn oes y seintiau ond ym 1856 yr adeiladwyd yr eglwys bresennol ar seiliau hen un, drwy haelioni'r Arglwydd Niwbwrch o Lynllifon. Mae'n adeilad hardd, addurniedig gyda'i waith marmor, cerfiadau pren a ffenestri lliw cain iawn, ei dŵr gosgeiddig a'i giât haearn, uchel. Nid pob eglwys blwyf oedd â theulu mor gyfoethog â theulu plas Glynllifon yn ei mynychu. Mae ôl y teulu'n drwm y tu mewn, gyda'i gapel ar wahân, a nifer o dabledi coffa, yn cynnwys un i'r dymhestlog Maria Stella Petronella. Da chi, peidiwch â mynd y ffordd arall heibio heb oedi yn y llan hyfryd hwn.

Cyn gadael y pentref, a sylwoch chi mai cynllun agored, di-wal sydd i stâd Tŷ'n Llan? Nid yw'r defaid yn bla yng ngwaelod y plwy, mae'n amlwg!

Wrth gychwyn ar hyd y ffordd gul heibio'r fynwent, mi welwch gefn stâd Bedd Gwenan ar y chwith. Tai drudfawr, moethus, ond dda gen i mo'u siâp: maent yn f'atgoffa o gân Pete Seeger am y *"Little boxes, all made just the same"*. Ia, Bedd Gwenan a dyna ni'n ôl yn niwloedd chwedloniaeth. Dyma ryddgyfieithiad o'r hyn ddywedodd John Rhys yn ei lyfr, *Celtic Folklore*:

"Safai caer gadarn, urddasol ar lan y môr nepell o Ddinas Dinlle o'r enw Tregar Anthrog. Pobl ddrwg oedd yn byw yno heblaw am dair chwaer: Gwenan, Elan a Maelan — merched Dôn. Arferai'r dair fynd i fferm Cae'r Loda i brynu bwyd. Un diwrnod, wedi cyrraedd y fferm, edrychasant dros eu hysgwyddau tua'r gaer. Er eu braw gwelsant eu cartref yn suddo dan donnau'r môr. Ffôdd y tair, Gwenan i Fedd Gwenan, Elan i Dyddyn Elan a Maelan i Ros Maelan. Dywedir mai oherwydd pechodau'r preswylwyr y boddwyd y gaer ond cawsant hwy eu harbed am eu bod yn gyfiawn. Yn ddiweddarach, claddwyd Gwenan mewn lle a elwir hyd heddiw yn Fedd Gwenan. Gwelir muriau'r gaer ar drai hyd heddiw rhwng Dinas Dinlle a Phont Llyfni."

* * *

"Teulu o ladron a drigai yn Nhregaer Anhreg ers talwm. Ymysg pethau eraill, lladdwyd dyn yng Nglyn Iwrch ger mur pellaf Glynllifon ganddynt. Roedd un wraig yn y gaer heb fod yn perthyn iddynt. Un noswaith wrth fynd gyda'i phiser i nôl dŵr clywodd lais yn galw, "Dos i ben y bryn i weld rhyfeddod". Ufuddhaodd, ac wedi cyrraedd pen y bryn, Dinas Dinlle, gwelai'r gaer yn suddo dan y môr."

* * *

Gwahanol ffurfiau o Tre-Gaer-Arianrhod sydd yn y ddwy stori hon.

Ffordd bach ddistaw braf yw hon, gyda'r coed talgryf yn fwa cysgodol. Mae'r deri, bedw a'r ynn yn ein hatgoffa sut le oedd yma cyn i ddyn ddechrau amaethu. O'n blaen mae wal uchel y plas yn gwarchod y coed pïn. Go wahanol fydd yr olygfa ar "lyfnder anial byd di-goed" llethrau'r Cilgwyn.

Wedi croesi 'lôn bost Pwllheli', rhaid esgyn Lôn Cefn Glyn. Bydd wal uchel y plas yn fwgwd ar y dde, ond gallwch edmygu'r gwrychoedd trwchus ar y chwith. Byddant yn llawn lliw a thrydar yn y gwanwyn a'r haf—blodau'r drain, gwyddfid, y rhosod coch gwyllt, a mwyar duon yn patrymu'r topiau, a'r blodau mân yn glystyrau wrth eu bôn: serenllys, llys yr ychen, y goesgoch, deilen gron, a nifer rhy luosog i'w henwi i gyd, diolch i'r drefn. Mae'n werth oedi ennyd wrth y bont i syllu ar afon Llifon yn llifo o ryddid y llethrau i gaethiwed tir y plas. Mi sylwch bod llwyni rhododendron gerllaw: hardd iawn pan yn eu blodau, ond gallent fod yn bla, yn enwedig ar dir y mynydd lle y lledant gan dagu a difetha planhigion a phorfa.

Deffröwyd O.M.E. o'i freuddwydion pan glywodd sŵn trên wrth fynd o dan y ffordd haearn i bentref y Groeslon. Maes parcio yw safle'r stesion heddiw, a gwnaed ffordd rai blynyddoedd yn ôl ar safle'r rheilffordd i gario tywod a graean o waith Graianog i adeiladu gorsaf drydan Dinorwig. Gorffennwyd hwnnw bellach, ac agorwyd Lôn Eifion ar gyfer beicwyr a cherddwyr.

Rhaid dringo eto drwy bentref y Groeslon, ar i fyny y bo'r nôd. Gwelodd O.M.E. dŷ a "llun llong y tu mewn, cartref morwr mae'n ddiau". Angorfa oedd y tŷ, cartref y diweddar annwyl Dr John Gwilym Jones. Gallwn wrando arno'n traethu am lenyddiaeth unrhyw ddydd, neu unrhyw bwnc arall dan haul, ni allai yn ei fyw beidio â bod yn ddiddorol. Yr enaid eang a barhaodd hyd y diwedd yn ddi-flino a diymhongar fywiog ym mywyd cymdeithasol ei bentref. Ymlaen â ni, ac yn y man down at hen ysgol Penfforddelen, sydd bellach yn fflatiau, diolch i weledigaeth Cymdeithas Tai Gwynedd. Dywedodd J.G.J. na chlywodd am fodolaeth Elen tra bu'n ddisgybl yn yr ysgol, fwy na finnau flynyddoedd yn ddiweddarach. Hi, wrth gwrs, oedd Elen Luyddawg, gwraig Macsen Wledig o'r hen chwedl. Neu felly y tybiem. Cynigiodd Gareth Haulfryn Williams eglurhâd arall i'r enw, fel hyn.

Roedd rheswm a diben pendant i fodolaeth pob llwybr ers talwm ond erbyn heddiw collodd llawer ohonynt bwrpas i'w bodolaeth, aeth rhai i ddifancoll, erys eraill, yn mynd i unlle o bwys. Mewnforiwyd calch o Fôn a Chlwyd ers talwm, gwelir odyn galch ar draeth y Foryd wrth ymyl Tŷ Calch a Foryd Cottage wrth Bont y Foryd. Ai llwybr oddi yno i Redynog Felen

Fawr ac yna heibio Collfryn, Llwyn Gwalch ac at Benfforddelen. Roedd Rhedynog yn lle pwysig ganrifoedd yn ôl: mae cofnod bod y Mynachod Gwyn yn byw yno mor gynnar â'r flwyddyn 1180. Roeddynt yn berchen llawer o dir ac felly angen cyflenwad sylweddol o galch. Mae'n debyg mai Pen-ffordd-y-Felen oedd yr enw gwreiddiol felly.

Fel y dringwch am Garmel, gwelwch fod waliau cerrig wedi disodli'r gwrychoedd a llechwedd moel yn lle'r gwastatir coediog, ond am ambell i lwyn eithin, drain, a llus yma ac acw ar ochor y ffordd, cofiwch. A dyma bentref Carmel, yn eistedd yng nghôl Mynydd y Cilgwyn. Ni allwch ei alw'n bentref hardd o gwbwl: ysgol, neuadd, llythyrdy, dwy siop, dau gapel, a strimyn o dai ar ysgwydd agored i'r ddrycin. Un o bentrefi chwarelyddol Dyffryn Nantlle oedd, "a chyn hir daeth llaweroedd o chwarelwyr i'm cyfarfod ar y ffordd adref o'u gwaith. Mwyn oedd sylwi ar eu hwynebau deallgar. . ." meddai O.M.E. Welwn ni'r un chwarelwr heddiw: lorïau ysbwriel sy'n debycach o ddod i'ch cyfarfod, yn cario gwastraff Arfon benbaladr i'w arllwys i hen dwll y Cilgwyn. Rhyfedd yw troeon y rhod.

Arferai llidiart y mynydd fod yma ar gwr isa'r pentref, sylwch bod y ffordd lawer is na'r caeau. Mae gen i frith gof o eira mawr '47 pan luwchiwyd yr eira gyfuwch â'r caeau, a'm taid ymysg eraill yn ei sheflio ymaith.

Rhan o'r llwybr tua'r chwarel ar i fyny, a thua eglwys Sant Thomas at i lawr, yw'r "lôn gul": llwybr rhyw lathen ar y mwyaf o led rhwng dwy wal gerrig. Mae'n debyg bod llwybr yma cyn cau'r tir comin a chodwyd dwy wal derfyn o boptu iddo pan sefydlwyd tyddynnod Cae Ddafydd a Thŷ Gwyn.

Awn i'r mynydd, drwy'r giât a ddylai gadw'r defaid allan o'r gerddi. Gofynnwch i'r garddwyr!

> *Llidiard uwchlaw llidiardau — a godwyd*
> *I gadw'r terfynau*
> *Ar fynydd oer ei fannau,*
> *A'i werth i gyd wrth ei gau.*

John Thomas

Copa Mynydd y Cilgwyn

Yr olygfa o'r copa. Chwareli'r Cilgwyn a Phen-yr-orsedd.

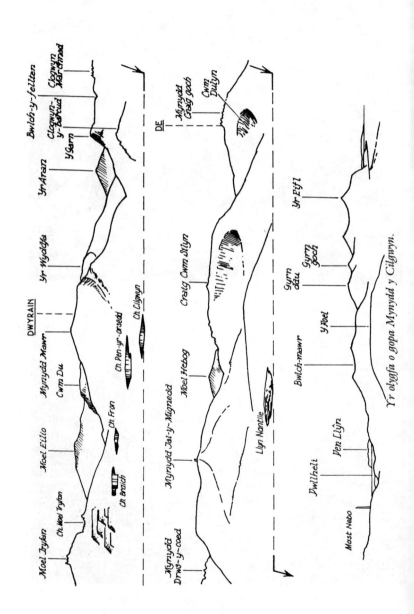

Yr olygfa o gopa Mynydd y Cilgwyn.

18

Tydi o fawr o fynydd, a fyddwch chi fawr o dro'n ei ddringo, ond nid wrth ei faint mae mesur swyn mynydd. Dyma'r cyntaf i mi ei ddringo erioed, a'm plant hefyd, a dyma'r un a ddringais fwyaf o weithiau o bell ffordd. Bûm yn llechu rhag Indiaid Cochion rhwng y cerrig, yn sglefrio ar ddarn o gardbord yn sychder haf, neu ar rew noson leuad Ionawr, yn dawnsio drwy'r mwg o gwmpas y goelcerth, ac yn cynnau 'tân bach': mae'n fynydd sy'n gorlifo ag atgofion plentyndod. Gresyn na welir plant yn chwarae yno mwyach: rhaid wrth offer drudfawr heddiw; dychymyg ac egni dibendraw oedd ein cyfoeth ni.

Dowch at y copa i wledda ar yr olygfa odidog. Cwyd y rhes copäon i'r golwg yn araf gyda phob cam wrth ddynesu at y brig. Sawl tro y deuthum yma i synfyfyrio, i ddianc am orig o helbulon bywyd. Caf gysur o wybod mai mewn tyddynnod islaw y magwyd tair cenhedlaeth o'm teulu: allwn i ddim bod yn nes at fy ngwreiddiau nac yma ar ben Cilgwyn. Dyma ddigon o resymau dros fy ngosodiad nesaf, sef mai oddi yma y cewch yr olygfa orau yng Nghymru. Ond cyn ichi benderfynu mai rhagfarn noeth yw hyn, darllenwch eiriau O.M.E. ac edrychwch drosoch eich hun!

"Y neb fedr yfed ysbrydiaeth mynyddoedd safed ar ben Mynydd Carmel. Gwêl hwy yno yn dyrfa fawr hanner ysbrydol o'r Eifl i'r Mynydd Mawr. . .

Dyma le i weled mawredd y mynyddoedd a ffyrdd y môr. Yr ydym fel pe ym mhresenoldeb rhyddid a gofynnwn ymhle mae'n trigo — ai ar lwybr y mynyddoedd ynte ar lwybr y môr. . . Ond er dadle'n huawdl yn unigedd tawel hyfryd yr hwyr, yn y gynulleidfa ardderchog honno, unent i ddweud mai ar ben Carmel y dylai cofgolofn rhyddid Cymru sefyll, rhwng mynydd a môr, ac yng nghlyw llais y ddau. . .!!"

Beth am ddod efo mi am dro bach, i weld yn agos yr hyn a welwch o bell o'r copa, tua'r môr ar brydiau, ond yn amlach ar ffyrdd y mynydd?

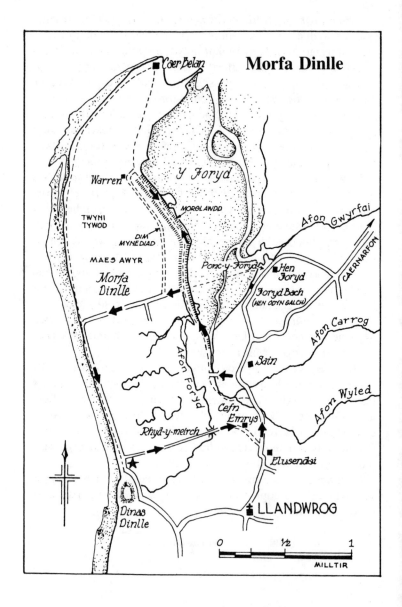

Morfa Dinlle

Caer Belan

Y Foryd

Warren

MORGLAWDD

TWYNI TYWOD

DIM MYNEDIAD

MAES AWYR

Morfa Dinlle

Pont-y-Foryd

Afon Gwyrfai

CAERNARFON

Hen Foryd

Foryd Bach
(HEN ODYN GALCH)

Afon Carrog

Sain

Afon Foryd

Afon Wyled

Cefn Emrys

Rhyd-y-meirch

Elusendsi

Dinas Dinlle

✠ LLANDWROG

0   ½   1

MILLTIR

2. MORFA DINLLE

Cyfarwyddiadau

Hyd y daith: 4.5m
Ansawdd: Llwybrau gwlyb, ffordd wastad — taith "wellingtons".

Cychwyn o Ddinas Dinlle — troi ar y dde wrth y siop — syth ymlaen i'r llwybr — pont dros afon Foryd — drwy fuarth Cefn Emrys — i'r chwith yn y ffordd — i'r chwith oddi ar y ffordd heibio Chatham (gyferbyn â mynedfa Cwmni Recordiau Sain) — syth ymlaen dros y ffens — dros y bont — i'r dde ar y morfa — llwybr i'r chwith oddi ar y morfa — heibio'r Maes Awyr — i'r chwith ar hyd glan y môr (neu i'r dde os oes amser i weld Caer Belan).

Y Daith

Wrth gerdded o Ddinas Dinlle i gopa'r Cilgwyn, mi aethom drwy bedair ardal ddaearyddol wahanol.
1. Y Morfa — y tir gwastad, gwlyb a amddiffynnir rhag y môr gan y morglawdd naturiol — "spit".
2. Gwastatir yr arfordir a rennir yn ddwy ran. Ar un cyfnod roedd lefel y môr tua 250' yn uwch na'r presennol. Bryd hynny deuai'r môr at waelod Clogwyn Melyn, mewn llinell fwy neu lai o Lanrug i Lanllyfni. Heddiw mae'r tir yma'n bant a phonciau, effaith Oes yr Iâ pan ollyngwyd peth o gynnwys y rhewlifoedd ar ffurf mariannau. Gwelir y ffermdai gan amlaf ar godiad tir, yn glir o'r tir corsiog.
   Yn ddiweddarach, gostyngodd lefel y môr eto at y lefel bresennol a ffurfio Llwyfan Menai. Mae codiad serth yn y tir rhwng y ddau lwyfan — clogwyni ar lan y môr un adeg, Allt Goch yr ochr isaf i Benygroes ac Allt Glynllifon yr ochr isaf i'r Groeslon heddiw. Mae'r tir yma'n fwy gwastad a ffrwythlon.

3.   Y llethrau. Hyd ddiwedd y 18fed ganrif tir comin oedd hwn, ond gyda dylifiad pobl i weithio yn y chwareli caewyd y tir comin a chodi'r tyddynnod.

4.   Y Ffriddoedd — tir agored y mynydd, porfa defaid yn unig.

Heddiw, ar wastadedd y morfa, go brin eich bod fwy na rhyw lathen uwch lefel y môr gydol yr amser. Yn wir, buasai rhan helaeth o'r tir dan ddŵr oni bai am y morglawdd a'r ffosydd niferus. Rhybudd bach mewn pryd: ewch â'ch "wellingtons", mae rhannau lleidiog, sugnog iawn, ond mae'r golygfeydd, y blodau ac adar y glannau a welwch yn werth yr ymdrech.

Sylwch bod y tir tu ôl i'r tai yn isel a gwastad ac mae angen cadw'r ffosydd ar agor. Dyma hafan i'r llafnlys, crafanc y dŵr a berw'r dŵr yn ogystal â'r hesg tal. Bydd y gwrychoedd eithin a banadl yn disgleirio'n euraidd yn nhes yr haf, ac ambell i onnen, derw a bedw i daflu cysgod yma ac acw. Braf oedd gweld blodau ar yr eithin pan dramwyais y ffordd yn llymder dechrau Ionawr — y llwyni uchel, *ulex europeaus*, a geir yma, ni welir yr eithin mynydd byr, *ulex gallii*, yn blodeuo yn y gaeaf. Dyma gynefin penigamp i'r gwningen: mae digon o gloddiau pridd iddynt wneud eu cartrefi yma, ac ar y twyni tywod draw ar y trwyn.

Dirywia'r llwybr yn raddol i lwybr trol sy'n mynd yn wlypach o gam i gam. Toc, mi ddowch at bont dros afon Foryd. Nid yw'r afon fach hon fawr uwch yn ei tharddiad tu cefn i Ddinas Dinlle nag yw pan gyrhaedda ben ei thaith yn Nhraeth y Foryd. Yma roedd Rhyd y Meirch a Rhyd y Gwŷr Troed yn nyddiau'r Rhufeiniaid, pan redai ffordd o Segontium i Ddinas Dinlle. Darganfyddwyd arian Rhufeinig yma a hyn mae'n debyg roddodd fod i'r gred mai'r Rhufeiniaid gododd gaer Dinas Dinlle, ond gwyddom bellach mai caer ffos a chlawdd y brodorion oedd hi.

Mae gwrychoedd gwych ar y llwybr hwn, a byddai'n wledd i weld y rhosod yn eu blodau. Gresyn bod y petalau mor eiddil, yn diflannu gyda chwäon y gwynt. Mi gaech helfa dda o fwyar duon, eirin surion ac egroes yma yn eu tymor i wneud jam neu win. Mae'r ddeilen gron yn amlwg hefyd ar y clawdd.

Wrth fynd drwy fuarth Cefn Emrys, sylwch ar y tŷ ar y dde: hen feudai wedi'u haddasu'n chwaethus. Allan â ni i'r ffordd, a thir sych dan draed am newid! Gyferbyn, mae Tai Elen Glyn: adeilad sylweddol, hynafol. Roedd Elen Glyn yn ferch i Richard Glynn ab William Glyn o Fryn Gwydion a daeth Eithinog Wen i'w meddiant. Cyflwynodd ran o'i hetifeddiaeth, sef Eithinog Wen a'r Plas Newydd, Llangoed, tuag at sefydlu'r elusendai lle gallai deuddeg o ferched bonedd amddifad neu dlawd gael cartref. Bu farw ym 1753. Bellach cafodd ei addasu yn fflatiau.

Awn ar y ffordd am ryw hanner milltir gan groesi dwy bont dros afonydd Wyled a Charrog, sy'n uno ychydig islaw cyn cyrraedd y Foryd yng nghwmpeini'i gilydd. Anaml y medraf gerdded dros bont heb oedi i syllu ar fwrlwm hudolus y lli, hwyrach y gwelaf frithyll yn gwibio'n dywyll, neu fflach amryliw'r pysgotwr swil: glas y dorlan.

Toc, mi welwch y fynedfa at stiwdio Cwmni Recordiau Sain. Dyma gwmni a ddatblygodd yn raddol dros y blynyddoedd nes bod bron â "monopoli" dros recordio yn Gymraeg heddiw. Dwi'n cofio'r amser pan brynwn·bob record 'pop' Gymraeg: byddai angen waled ddi-waelod arnaf heddiw! Dyma enghraifft wych o Gymry ifanc, ymroddedig yn mentro ac yn llwyddo drwy sicrhau safon a phroffesiynoldeb. Mi drown o'r ffordd hon heibio fferm Chatham a gweddillion cytiau o gyfnod yr Ail Ryfel Byd. Mae olion prysurdeb y cyfnod cythryblus hwnnw yma ac acw ar y morfa hyd heddiw. Cri'r gornchwiglen a'r gylfinir a glywir heddiw lle bu rhu'r *Lancasters* o'r Maes Awyr yn rhwygo'r tangnefedd adeg y rhyfel. Braf oedd gweld rhes o goed ifanc newydd eu plannu ar y llwybr: ffawydd, helyg gwyn a cherddinen wen. Mae plannu coed yn orchwyl bwysig — rhaid sicrhau bod digon o goed brodorol ar gael i'r dyfodol. Mae digon o fanadl yma:

> *Pan ddêl Mai a'i lifrai las*
> *Ar irddail i roi'r urddas,*
> *Aur a dyf ar edafedd*
> *Ar y llwyn er mwyn a'i medd.*

(Anhysbys — 15fed ganrif)

Rhaid mynd yn eich cwman rhwng y drain i gyrraedd y bont

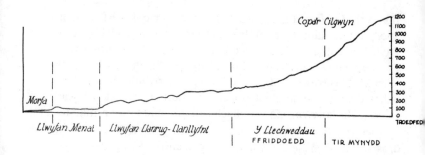

Copâr Cilgwyn

1200
1100
1000
900
800
700
600
500
400
300
200
100
0
TROEDFEDI

Morfa

Llwyfan Menai | Llwyfan Llanrug- Llanllyfni | Y Llechweddau | TIR MYNYDD
FFRIDDOEDD

ddaw â chi allan i'r morfa. Wedi cerdded cyhyd rhwng gwrychoedd a choed, dyna newid yw'r ehangder gwastad. Roedd haul hwyr brynhawn yn euro'r brwyn a chri'r gylfinir yn toddi i'r llonyddwch wrth i mi gychwyn cerdded ar hyd ochr y morfa i graffu am rai o adar y glannau — crëyr yn codi'n hamddenol braf o'r brwyn, cornchwiglod yn stwyrian yn swnllyd fel gwrachod mewn clogau du, piod y môr yn pigo'n brysur a saeth o hwyaid yn chwifio drwy'r nen. Gwelir cwtiad y traeth, pibydd coesgoch, pibydd y mawn, y gïach, gwylanod o bob math a'r bilidowcar ymhlith eraill yma, gyda phwyll ac amynedd.

Mae llwybr ar draws y morfa at Hen Foryd, a rhydau dros afon Gwyrfai, ond byddwch yn ofalus: gall y llanw ddod i mewn yn sydyn. I lawr i Bonc y Foryd ar gefn mulod, ac yna mewn troliau, y cludid llechi o chwarel y Cilgwyn yn ail hanner y 18fed ganrif a dôi llongau bychain i mewn i'w hallforio. Ar ôl 1800 gwastatwyd y maes yng Nghaernarfon a chodwyd y cei llechi ac o dipyn i beth trosglwyddwyd y cludiant o'r Foryd i Gaernarfon. Ffermwyr Llandwrog a Llanwnda fyddai'n rhoi ceffylau a throliau i gario'r llechi ac mi welwch olion llechi ar lawr yn dyst o'r prysurdeb a fu.

Cofiwch oedi i edrych ar y mynyddoedd cyn gadael y morfa, yn linell fawreddog o bellter Penmaenmawr heibio'r Carneddi, Elidir, Moel Eilio a'r Mynydd Mawr yn gwarchod yr Wyddfa, ac yna fynyddoedd Dyffryn Nantlle. Islaw iddynt mae bryniau Moel Smytho, Moel-tryfan a'r Cilgwyn. Mi gawn fynd yn nes atynt yn y man.

Os oes digon o arian gennych, beth am hedfan dros y mynyddoedd? Mi hed awyrennau o'r maes awyr — *Caernarfon*

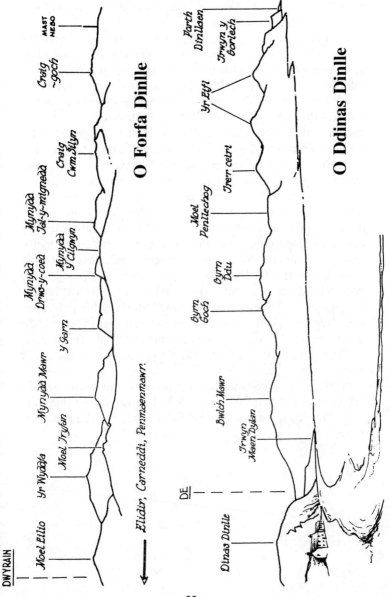

DWYRAIN

Moel Ellio Yr Wyddfa Mynydd Mawr Y Garn Mynydd Drws-y-coed Mynydd y Cilgwyn Mynydd Isel-y-mignedd Craig Cwm Silyn Craig-goch **MAST NEBO**

Moel Tryfan

O Forfa Dinlle

→ Elidir, Carnedda, Penmaenmawr.

Dinas Dinlle Trwyn Maen Dylan Bwlch Mawr Byrn Goch Byrn Ddu Moel Penllechog Trwyn cetrt Yr Eifl Trwyn y Gorlech Porth Dinllaen

DE

O Ddinas Dinlle

25

Airfield — o gwmpas yr Wyddfa. Efallai y caf fynd ryw ddydd a ddaw, pan ddaw'r llong i mewn.

Os oes amser ac egni ar ôl, gallwch droi i'r dde wedi cyrraedd glan y môr a chroesi'r twyni tywod i Gaer Belan. Cafodd ei hadeiladu gan deulu Glynllifon ym 1776 ar gost aruthrol o £30,000, pan oedd perygl i Napoleon a'i griw gyrchu yma. *The Lord Newborough Volunteer Infantry* a warchodai'r gaer a Chaer Williamsburgh, yn agos i'r Plas. Gallwch ddyfalu sut griw oeddynt! Mae mewn safle ddelfrydol: ni allai'r un gwch hwylio heibio Abermenai'n ddiogel rhag y canons. Ond ni thaniwyd yr un ergyd mewn dicter yno erioed, ond fe glywir ergydion y gwn am dri o'r gloch y pnawn fisoedd yr haf er difyrrwch y twristiaid.

Gallwch gerdded yn ôl am Ddinas Dinlle ar y traeth neu ar ben y wal warcheidiol. Yn dilyn storm enbyd tua deng mlynedd yn ôl, sgubwyd a maluriwyd rhannau o'r morglawdd naturiol a golchwyd cerrig drosodd i'r ffordd. Gwnaed cryn lanast mewn dim o dro, ond y perygl mwy oedd y byddai'r môr yn torri trwodd a boddi'r tir tu cefn. Dyna pryd y penderfynodd Cyngor Arfon godi clawdd cerrig a choncrid i geisio cadw'r môr hyd braich. Cyflogwyd pobl ifanc dan y Cynllun Creu Gwaith i godi'r wal, gosod byrddau picnic a thacluso'r mannau parcio gan geisio cadw naturioldeb y lle. Nid yw'r gwaith wedi ei gwblhau: yn wir, wrth gerdded, gwelais ddarnau helaeth o'r wal wedi gwyro gan rym y tonnau.

Does ond eistedd bellach i gael paned i adnewyddu nerth a syllu dros y lli tua mynyddoedd yr Eifl a draw dros y don tua'r Ynys Werdd, ac i ffeilio'r rhyfeddodau a welsoch yng nghatalog y cof.

3. LLANFAGLAN A'R FORYD

Cyfarwyddiadau

Hyd y daith: 6 milltir.
Ansawdd: Ffordd wastad.

Cychwyn o Goed Helen heibio'r castell — troi i'r dde wrth bont Seiont — heibio Ysbyty Bryn Seiont — a) y tro cyntaf i'r chwith at gyrion Bontnewydd — tro siarp yn ôl i'r dde cyn cyrraedd yr ysgol ac wrth ochr afon Gwyrfai — i'r chwith yn y groesffordd — ail ar y dde i lawr am y Foryd, ac yn ôl i Goed Helen. b) Ar Lôn Eifion wrth Hendy — troi i lawr yn y Bontnewydd ac ar ffordd Llanfaglan fel a).

Y Daith

Cawn gip ar draeth y Foryd a glan y Fenai a'r tir amaethyddol rhwng môr a mynydd heddiw. Man cyfleus i gychwyn yw Coed Helen: gallwch gerdded dros bont yr Aber o Gaernarfon, neu barcio'ch car yn y Parc Hamdden. Galwyd y coed yn Coed Helen ar ôl Elen Luyddawg y daeth Macsen Wledig i'w chyrchu o'r "brifgaer decaf ar a welsai dyn erioed". Wrth fynd i fyny'r allt, mi welwch yr iardiau cychod — lle prysur iawn un adeg.

Toc fe ddowch at Ysbyty Bryn Seiont. Sawl chwarelwr fu yma'n ymladd am ei wynt wedi trin y garreg las am gnegwarth drwy'i oes? Rhed y ffordd yn gyfochrog â'r hen reilffordd yma, a gallwch fynd ar Lôn Eifion o Hendy ymlaen i'r Bontnewydd neu gymeryd y ffordd droellog ar y chwith cyn cyrraedd y bont.

Ewch drwy Lanfaglan, dros y groesffordd ac ymlaen am y Foryd. Cael ei lenwi'n raddol gan fwd a cherrig mân yr afonydd dros amser maith wnaeth Morfa Dinlle. Cyn hynny, roedd llawer mwy o ddyfnder dŵr ar y traeth. Bu galw mawr am fwyd adeg rhyfel Napoleon ac mi benderfynodd Stâd Glynllifon geisio sychu'r tir. Codwyd y morglawdd gyferbyn â chi, ceisiwyd draenio'r tir, a sythwyd afonydd Carrog a Foryd. Yn fuan wedi

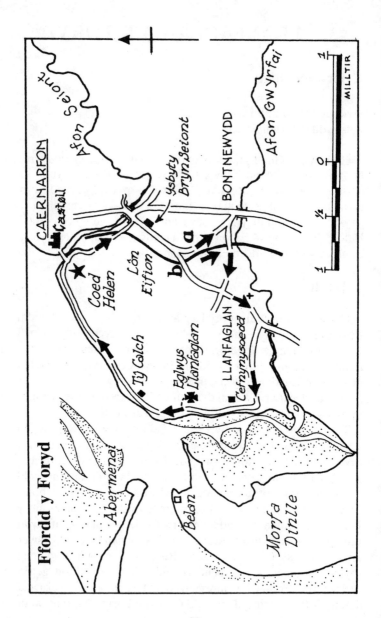

Ffordd y Foryd

hynny, rhannwyd y tir rhwng y ffermydd cyfagos. Ceisiwyd codi cnydau, ond ni fu'n fawr o lwyddiant. Tir pori gweddol yw hyd heddiw. Erys eangder o fwd a thir brwynog rhwng y morglawdd a'r ffordd.

Mi fyddaf yn hoffi dod yma yn y gaeaf, heb sŵn trafnidiaeth na lleisiau croch, ond mi glywaf ddigon o drydar adar. Bydd amryw rywogaethau'n heidio tua'r glannau dros y gaeaf. Gwelsoch y gylfinir fesul pâr ar y ffridd yn yr haf, ac mi'u gwelwch wrth y dwsin ar draeth y Foryd dros y gaeaf. Hed y drudwy yn dyrfa swnllyd i'r caeau, saetha'r môr-wenoliaid ar wib, disgyn pïod y môr ar lan y dŵr, a daw'r bilidowcar heibio, gan gosi brig y tonnau. Cofiaf wylio'r haul hwyr yn troi'r pyllau'n waed a'r elyrch yn llifo'n ddisglair drwy'r gwyll.

Daw eglwys Llanfaglan i'r golwg ar fryncyn bychan: mae'n werth croesi'r cae ati. Adeilad bychan a hynafol iawn yw ac erbyn heddiw yn gyfuniad o ddarnau o wahanol gyfnodau. Mae'n debyg bod llan yma ers y 5ed ganrif ond o'r 13eg y dyddia'r rhan hynaf o'r adeilad presennol. Mae'r porth pren dros 500 oed, ac ôl traul mawr arno. Arwydd o ddiffyg parch heddiw yw'r ffaith i gloch dros 700 mlynedd oed gael ei dwyn oddi yma ym 1974. Mae awyrgylch ryfeddol o gwmpas yr hen lannau syml, unig hyn.

Crwydrwch oddi ar y ffordd wrth fynd yn ôl ac mi ddowch ar draws nifer o flodau'r glannau: llygwyn y môr, betys gwyllt y môr, llaethysgallen yr ŷd, ffengil y cŵn, clustog Mair, gludlys arfor, canclwm, troellig y môr, rhuddygl gwyllt y môr.

Dychwelwn tua'r Gaer-yn-Arfon ac aber afon Seiont. "Ac o'r mynydd hwnnw fe welai afon yn llifo ar draws y wlad yn cyrchu'r môr."

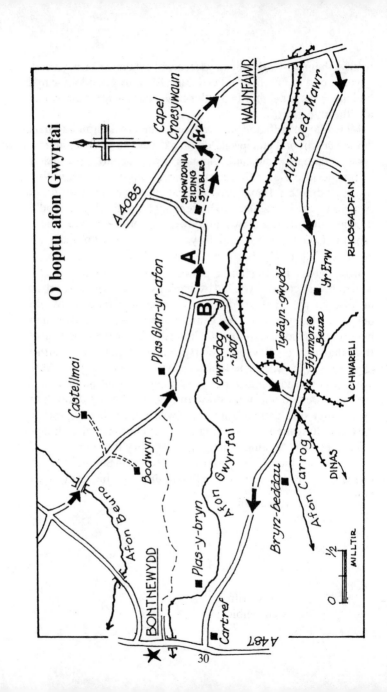

O boptu afon Gwyrfai

30

4. O BOPTU AFON GWYRFAI

Cyfarwyddiadau

Hyd y daith: A - 8m; B - 5m.
Ansawdd: Ffordd a llwybr trol bob yn ail, eitha gwastad, heblaw am Allt Coed Mawr.

Cychwyn o'r Bontnewydd ar y dde am Gaeathro — tro cyntaf ar y dde wedi gadael y pentref — cadw ar y llwybr drwy Blas-glan-yr-afon.
Taith B — troi nesaf i'r dde — pont dros yr afon — i'r dde ar ôl croesi — drwy fuarth Gwredog isaf — i'r dde eto wrth y giât — i'r dde eto yn y ffordd — cadw ar y ffordd yn ôl i'r Bontnewydd.
Taith A — dal yn eich blaen — drwy fferm y *Snowdonia Riding Stables*, drwy'r caeau — i'r chwith yn y llwybr trol allan i'r Waunfawr ger capel Croesywaun. Neu y tro nesaf i'r chwith ar ôl tro y bont — allan ym mhen pellaf y Waunfawr. Drwy'r Waunfawr troi ar y dde gyferbyn â'r *Snowdonia Park Hotel* — i fyny Allt Coed Mawr — syth yn eich blaen pan droa'r ffordd yn sydyn i'r chwith — cadw ar y ffordd yma wedyn, peidio troi i lawr am Tanrallt — uno â llwybr Taith A wrth llwybr Gwredog.

Y Daith

Dyma daith ddistaw, ddifyr i fyny ac i lawr rhan o rediad afon Gwyrfai. Gan y byddwn y rhan fwyaf o'r amser ar lethr agored dipyn uwch na'r afon, mae golygfeydd eang iawn gan ddod i olwg ac i glyw yr afon bob hyn a hyn fel y troella mewn hafn goediog. Gan ein bod gan fwyaf ar dir o dan 500 troedfedd uwch y môr, mi awn drwy dir a amaethwyd ers canrifoedd a rhai o'r ffermdai yn hynafol iawn.

Wedi troi oddi ar y briffordd, mi groeswch afon Beuno ymhen sbel. Yna mi ewch heibio mynedfeydd Castellmai a Bodwyn; efallai i chi gael cip arnynt o'r ffordd fawr wrth fynd heibio

Hufenfa De Arfon. Bu teulu Williams, Dorothea yn trigo ym Modwyn.

Yn fuan wedyn, mi ddowch at Blas Glan-yr-afon a thrwy'r buarth gyda'r holl greaduriaid o gwmpas; yn ieir, cathod, ac os y byddwch yn ffodus, y peunod balch. Oedwch i edmygu'r tŷ a chadernid y beudai a'r ysguboriau. Adeiladwyd Glan-yr-afon yn niwedd y 17eg ganrif a bu'n gartref i deulu'r Robbins tan tua 1820. Mae olion adeiladu dair gwaith, oll ddiwedd y 17eg a dechrau'r 18fed ganrif. Sylwch ar y llechi bychain ar y to, a'r tri corn simnai cerrig. Dyddia'r beudai a'r ysguboriau o'r 18fed ganrif: mae'n werth sylwi ar y distiau fforchog ar un ohonynt. Lledwyd un pen ac yn awr saif y nenffyrch ar ddau biler. Erys llawer o du mewn y tŷ yn ei stâd wreiddiol hefyd.

Ymlaen â chi, gan ddal i esgyn, gyda chaeau agored o boptu a Moel Eilio a'r Mynydd Mawr yn codi o'ch blaen. Ar y daith hon, mae gwrychoedd cyfoethog a fydd eto yn orlawn o liw a thrydar yn y gwanwyn a'r haf. Saif Gwredog a Thyddyn-gwŷdd ar y llethr tu draw i'r afon.

Wedi dod allan i'r Waunfawr a cherdded drwy'r pentref, mi ddowch ar draws dau beth sy'n esiampl i bentrefi eraill. Yn gyntaf, y Ganolfan Bentref newydd sbon. Codwyd yr arian angenrheidiol mewn dim o dro gan y pentrefwyr, a gwnaethant ran helaeth o'r gwaith adeiladu eu hunain. Yr ail hynodrwydd yw Antur Waunfawr: mentr gydweithredol i sefydlu cartref a gwaith i rai dan anfantais meddyliol, ond eu cael yn rhan naturiol o'r pentref, nid eu cadw ar wahân fel gwahangleifion gan gyfoethogi eu bywydau hwy, a'n rhai ninnau.

Awn heibio hen gartref Dafydd Ddu Eryri cyn cyrraedd y bont. Yna i fyny Allt-Coed-Mawr â ni, byddaf yn gwirioni ar y llecyn hwn, boed haf neu aeaf, gyda'i lethrau, ei greigiau a'i goed, a'r lliwiau'n newid fel chameleon o dymor i dymor. Yna gwastatâ'r llwybr ar dir agored, gyda'r Waunfawr yn strimyn hir oddi tanoch a Chastell Caernarfon, y Fenai a Môn yn gorwedd o'ch blaen. Rydym yn awr ar yr un llwybr â rhan o daith 6, ond yn mynd i'r cyfeiriad arall ac mae'n rhyfedd fel y cawn olwg wahanol. Yna â'r llwybr ar i waered tua'r Erw. Cofiaf ddod ar hyd y ffordd hon gyda'r nos yn yr haf, a'r haul yn machlud yn goch gan ddangos mynyddoedd Wicklow'n glir ar y gorwel. Wrth ddal ar i waered, daw mwy o wrychoedd o boptu, gallaf arogli'r gwyddfid yn awr, a chlywed su y gwenyn ar noson dawel, gynnes. Heibio giatiau Tŷ Hen a Bryn Beddau, ac yna i glyw'r afon eto, sydd yn ferw o fywyd ond ar goll yn y coed oddi tanoch.

Ymlaen at gyrion y pentref, gyda gwesty Plas-y-bryn gyferbyn, ac yna resi o dai mewn cilfach o'r pentref nas gŵyr teithwyr y briffordd am ei fodolaeth. Dowch i'r briffordd wrth ochr y Cartref — hafan i blant amddifad fu am flynyddoedd, cartref da yng ngwir ystyr y gair i blant anffodus.

Os ewch ar y daith fer, mi groeswch yr afon wrth Gwaredog. Dyma le hyfryd, cysgodol eto. Mae swyn ym mhob afon i mi, pob un â'i chân unigryw, a dyma ni wedi cael cyfle i glywed alaw afon Gwyrfai.

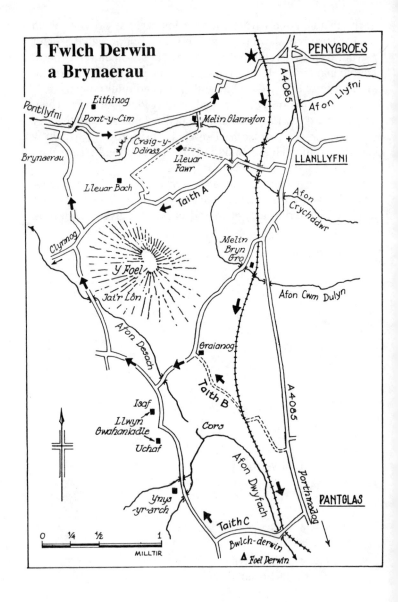

I Fwlch Derwin
a Brynaerau

PENYGROES

Afon Llyfni

Pontllyfni

Eithinog

Pont-y-Cim

Melin Glanrafon

Craig-y-Ddinas

Brynaerau

Lleuar Fawr

LLANLLYFNI

Lleuar Bach

Taith A

Afon Crychddwr

Melin Bryn Gro

Y Foel

Afon Cwm Dulyn

Clynnog

Jai'r Lôn

Afon Desach

Graianog

Taith B

A4085

Isaf

Llwyn Gwahaniadle

Cors

Uchaf

Afon Dwyfach

Porthmadog

PANTGLAS

Ynys-yr-arch

Taith C

| 0 | ¼ | ½ | 1 |

MILLTIR

Bwlch-derwin

△ Foel Derwin

5. I FWLCH DERWIN A BRYNAERAU

Cyfarwyddiadau

Hyd: A - 6m; B - 8m; C - 11m.
Ansawdd: Ffyrdd gwledig. Lôn Eifion — llwybr beicio a cherdded.

A. Cychwyn o hen stesion Pen-y-groes ar hyd Lôn Eifion — dros yr afon Llyfni — troi i'r chwith at y giât ar yr allt at gyrion Llanllyfni — troi yn siarp i'r dde i lawr y ffordd — heibio llwybr Lleuar — ymlaen am filltir a hanner — tro cyntaf ar y dde — arwydd Brynaerau, Pontllyfni — heibio capel Brynaerau — i'r dde — i'r dde eto heibio Efail y Cim ac at Bont y Cim — dros y bont — dde i fyny'r allt — dde eto ymhen milltir a hanner ac yn ôl i Ben-y-groes.

B. Ymlaen ar hyd Lôn Eifion hyd derfyn y ffordd darmac gyferbyn â'r gwaith graean — llwybr llydan ar y dde — cadw i'r dde — drwy fferm Graianog — yna chwith — dde ar ffordd Tair Lôn — dde wrth arwydd Clynnog-Llanllyfni — yna chwith fel Taith A.

C. Ar Lôn Eifion i Bantglas — i'r dde dros y bont — i fyny'r allt — dde eto heibio Ynys yr Arch ac ymlaen fel Taith B.

Y Teithiau

Teithiau o Ben-y-groes i gyfeiriad Bwlch Derwin a Brynaerau a geir yma. Tir rhwng môr a mynydd, yn bant a phonciau, afonydd bychain a chorsydd eang, ffermydd a melinau.

Taith A

Mi gychwynnwn i fyny Lôn Eifion: mae'n dawelach na throedio'r ffordd brysur drwy Lanllyfni. Pe câi'r bobl leol eu

Pont y Cim

dymuniad, byddai hon yn ffordd osgoi i bentrefi Llanllyfni,
Pen-y-groes, a'r Groeslon. Awn heibio cefn stâd ddiwydiannol
Pen-y-groes. Segur fu'r ffatri fawr nes dyfodiad I.C.P. ond mae
gweithwyr yn brysur yn yr unedau bychain yn Argraffdy Arfon,
Gwasg Dwyfor, mentrau gan bobl leol, a chriw o bobl ifanc yng
Ngweithdy Hyfforddiant Dyffryn Nantlle. Cewch olygfa dda i
fyny'r dyffryn: does dim curo ar yr Wyddfa dan eira drwy
Ddrws-y-coed. Mae'r llwybr yn esgyn wrth fynd heibio
Llanllyfni, nes ein bod ar glawdd uchel uwch afon Llyfni a'r tir
corsiog. Sylwch fel y troella'r afon gan erydu'r tir yn raddol dros
filoedd o flynyddoedd a rhoi cartref i wennol y glennydd yn y
torlannau.

Mi drown i lawr ffordd Brynaerau yma. O boptu yr afon Llyfni
yr awn, ond ein bod allan o'i golwg y rhan fwyaf o'r amser. Mae'n
werth sylwi ar yr amrywiaeth pontydd a groeswn. Pont droed
newydd sbon yw'r gyntaf a welwn: dros afon Crychddwr i Goed
Cae Bach. Mae trawstiau dur, a hen "sleepers" coed ar eu traws,
a choncrid yn sail iddi — dyma'r ffordd fodern o godi pont.

Rhyw ganllath yn nes ymlaen mi ddowch at bont ddau fwa, pont Coecia, lle croesai'r hen reilffordd uwchben y ffordd ac afon Crychddwr. Sylwch ar y gwaith cerrig celfydd, a briciau melyn yr hen L.N.W.R. Dwy hen bont gerrig ddaw nesaf, y gyntaf, dros afon Crychddwr ar ffurf bwa, a'r ail, Pont Dol-gau, dros afon Cwm Dulyn, gyda slabiau llechi a wal yn y canol i'w chynnal. Mae'n werth dringo drosodd i'w gweld. Bydd twmpath o iris melyn wrth bont afon Cwm Dulyn yn wledd i'r llygad ym Mai a Mehefin.

Down at weundir agored, cynefin y gïach, cornchwiglen a'r gylfinir wrth inni belláu o afon Llyfni a bydd arogl blodau'r eithin yn llenwi'ch ffroenau yn yr haf. Tir Lleuar Fawr ac yna Lleuar Bach sydd ar y dde: dwy fferm fu'n rhan o stâd Glynllifon am ganrifoedd. Daw'r enw Lleuar o Lleufer neu Lles ab Coel, brenin Cristnogol cyntaf Prydain. Gwelir ei arfbais, eryr deuben du â'i adenydd ar led, yn arfbais teulu Lleuar. Bu teulu Glynllifon yn byw yma — William a Lowri Glynn. Yn ddiweddarach, rhannwyd yr ystad yn ddwy, Lleuar Fawr a Lleuar Fach, a hynny yn amser Syr Thomas Wynn.

Mae godrau bryncyn hir-grwn y Foel yn nesáu: safle hen gaer o'r Oes Haearn eto, fel Craig y Ddinas wrth afon Llyfni gyferbyn. Wrth fynd y ffordd hon gyda chriw o blant un tro, gwelsom wiber yn cysgu'n braf ar ben y wal yng ngwres bore o wanwyn. Cawsom gyfle i'w hedmygu am sbel, hyd braich i ffwrdd, roedd yn rhy swrth i synhwyro perygl. Bachais y cyfle i dynnu lluniau gyda fy nghamera. Daliai'r plant eu hanadl wrth fy ngweld yn gwthio'r camera yn nes ac yn nes ati: dyna falch oeddwn o'r cyfle i gael lluniau cystal. Wythnosau'n ddiweddarach wrth dynnu'r ffilm o'r camera, darganfyddais bod y ffilm wedi rhwygo, a'r un llun wedi'i dynnu. Gallwn gicio fy hun!

Wedi troi i gyfeiriad Pont y Cim, mi ewch heibio Efail y Cim ac efallai y gwelwch wartheg Jersey yn y caeau. Yma y gwna Elfed Roberts laeth enwyn i'w werthu: prynwch beth — 'does dim gwell i dorri syched!

Oedwch, da chi, wrth Bont y Cim. Mae'n llecyn mor ddymunol i wrando bwrlwm yr afon, a thrydar yr adar o'r coed.

Mae carreg fawr wen ar ochr y bont â geiriau aneglur arni, ond gallwch weld y dyddiad o graffu — 1612. Mae copi o Sesiwn Chwarter yn Archifdy Gwynedd a chyfeiriad at rodd: *"Catring Bwckle hath give 20 pounds to macke this Brighte."* Gwyddys i Catherine Bulkeley o'r Baron Hill, Biwmares briodi â Griffith John Griffith, Cefnamlwch, diwedd y 16eg ganrif, ac roedd cysylltiad rhyngddynt a theulu Glynllifon. Dyna'r ffeithiau. Dyma'r stori.

Dywedir bod llanc o blwyf Llanaelhaearn yn caru â Chatrin oedd yn byw ar fferm Eithinog nepell o afon Llyfni. Un noson stormus daeth i'w chyfarfod, ond wrth geisio croesi'r rhyd dros Llyfni, boddwyd ef a'i farch. Yn ei thrallod rhoddodd Catrin ugain punt tuag at godi pont fel na ddôi trychineb gyffelyb i ran neb arall. Dywedir bod ysbryd Catrin i'w gweld o gwmpas y bont o bryd i'w gilydd, yn dal i chwilio a galw'n ofer am ei chariad. Mae tair fferm yn dwyn yr enw Eithinog heddiw — wen, ganol, ac uchaf. Ffurfient dreflan Tref Eithinog a Bryn Cynan ers talwm.

Cwyd y ffordd uwch yr afon wrth gychwyn am Ben-y-groes — efallai y gwelwch wiwer yn sboncio o frigyn i frigyn, neu'r crëyr yn ddyfal chwilio a'r mân-deloriaid yn brysur byncio.

> Genwair o big yn nŵr bas — yr afon,
>   Digrifwch mewn urddas;
> Y doethyn di-gymdeithas
> Â'i heglau hir, y clown glas.

Gerallt Ll. Owen

Saif Craig y Dinas mewn tro yn yr afon: bryncyn serth, amddiffynfa gadarn yn yr oes a fu. Ys gwn i a fu'r trigolion yn cosi boliau'r brithyllod, ac yn hel cnau a mwyar duon o'r llwyni o boptu'r afon?

Wedi cyrraedd copa'r allt mi gewch olwg wych eto o'r mynyddoedd. Pan welwch lwybr trol agored ar y dde, piciwch i weld hen felin Glanrafon, a addaswyd yn dŷ chwaethus bellach. Cadwch i'r chwith ac yna dros y bont-droed. Dyma lecyn hyfryd

— ceir amrywiaeth o flodau gwyllt yma: iris melyn, carpiog y gors, tegeirian, a'r gliniogai.

Mae llwybr yn troi i'r dde ac i lawr drwy fuarth Lleuar Fawr, ac yna i'r chwith cyn cyrraedd Lleuar Bach, gan ddod allan ar ffordd Brynaerau ger Ffridd Bach. Gallai hwn fod yn amrywiad i'ch taith rywdro.

Ffatri i wneud llechi ysgrifennu oedd hon i ddechrau: 'injian doctor' y'i gelwid bryd hynny, gan mai'r Dr Evan Sh. Roberts, Gwyddfor, Pen-y-groes oedd ei pherchennog. Yna fe'i prynwyd gan Hugh Jones o'r Garn a bu'n ffatri wlân am sbel go dda.

Milltir arall a dyna ni'n ôl ym Mhen-y-groes.

Taith B

Cadwn ar yr hen rheilffordd nes dod i derfyn y rhan a wnaed yn ffordd darmac, wrth sgerbwd adeilad Graianog Crossing. Gwelwch hen felin Bryn Gro ar y dde. Gwelwn ymhellach o'n blaenau yn awr, tua Phantglas, a bryniau Moel Derwin a Mynydd Cennin, mast Nebo a Mynydd Craig Goch ar ychwith, a Bwlch Mawr ar y dde. Awn i'r dde, heibio'r gwaith graean drwy fuarth Graianog.

Effaith Oes yr Iâ yw'r holl bant a phonciau. Edrychwch tua mynyddoedd Dyffryn Nantlle ac mi welwch dyllau anferth y cymoedd, beth bynnag symudodd y rhew, fe'i dododd i lawr rhywle arall. Mi chwydodd y rhewlif beth o'i gynnwys yma ac acw ar ffurf mariannau. Ysbwriel y rhewlif yw'r eglurhad dros fodolaeth gwaith tywod a graean Graianog gerllaw.

Ewch i'r dde drwy bentref bychan Tai'r Lôn. Mae'n werth mynd i weld Melin Faesog a adnewyddwyd a'r holl offer o gyfnod prysurdeb y melinau bach a welid ar bob afon yn yr ardal ers talwm. Hanner milltir arall a dyma ni wedi ymuno â llwybr taith A.

Taith C

Cadwn ar y llwybr beicio nes dod i bentref Pantglas, yna i'r dde heibio hen stesion Pantglas, dros bont afon Dwyfach,

Pont-ynys-pwntan, a dringo'r allt ar lethr ogleddol Moel Derwin.

Bu brwydr ffyrnig yma rhwng Llywelyn ein Llyw Olaf a'i frodyr. Pan fu farw Dafydd, Tywysog Gwynedd, ym 1246, ni wyddai neb pwy fyddai'n dywysog ar ei ôl gan nad oedd ganddo blant. Roedd gan Gruffydd, ei hanner brawd, bump o blant fodd bynnag; Owain, Llywelyn, Rhodri, Dafydd a Gwladus. Pwy o blith y rhain allai arwain y Cymry? Pleidiai rhai achos Owain gan mai ef oedd yr hynaf; roedd eraill dros Lywelyn am mai ynddo ef y gwelent ddefnydd yr arweinydd gorau. Y diwedd fu i ddistain Gwynedd, Ednyfed Fychan, benderfynu rhannu'r deyrnas rhwng y ddau.

Bu hyn yn achos ffraeo rhwng Owain a Llywelyn a theimlai Dafydd a Rhodri yn ddig am na chawsant hwy dir o gwbwl. Yn nhyb Llywelyn, yr unig obaith i Gymru oedd uno'r wlad o dan un tywysog. Casglodd fyddin ynghyd. Gwnaeth ei frodyr yr un modd.

Cyfarfu'r ddwy fyddin ym Mryn Derwin ym 1255 a bu'r brwydro'n hir a ffyrnig. Gwŷr y bwa hir oedd yn y mwyafrif ar y ddwy ochr. Llywelyn oedd y cynlluniwr gorau: dewisodd ei filwyr yn ofalus, hyfforddodd hwy i drwch y blewyn ac ysgogodd ynddynt deyrngarwch anhygoel. Bu raid i Dafydd a Rhodri ffoi i'r bryniau gerllaw. Cafodd Owain druan ei ddal a'i garcharu gan Llywelyn yng nghastell Dolbadarn am un mlynedd ar hugain. Ymhen amser, cafwyd hyd i Dafydd a'i garcharu yntau. Bellach roedd Llywelyn yn dywysog Gwynedd. Ar ôl Brwydr Bryn Derwin aeth o nerth i nerth. Roedd gan y bobl ffydd ynddo.

Rhaid mynd i'r ochr draw ac at ffermydd Terfynnau a Derwin-uchaf i gyrraedd safle'r frwydr.

Cerddwn yn ôl yn awr, gyda chorsdir frwynog eang ar y dde. Toc, mi welwch hen ysgol, ac yna ffermdy, Ynys yr Arch. Saif y tŷ ar dir rhwng dwy afonig. Yn ôl y chwedl, pan fu farw Beuno hawliai tri phlwyf ei gorff i'w gladdu: Beddgelert, Clynnog ac Enlli, ac ni ellid dod i gytundeb. Dechreuwyd cludo ei gorff ar elor o Glynnog ac arhosodd y cludwŷr i orffwys yma. Pan ddeffroasant, gwelsant dri elor a thair arch. Cyflawnodd Beuno ei wyrth olaf i dawelu'r anghydfod ymhlith ei ddilynwyr. Galwyd y lle'n Ynys yr Eirch, enw a lygrwyd dros y canrifoedd yn Ynys yr Arch. Saif dwy fferm Llwyn Gwahaniadle-isaf ac uchaf yn nes ymlaen. Yma, gyda dim ond lled llwybr rhyngddynt, mae tarddiad afonydd Desach a Dwyfach. Felly, man gwahanu'r dyfroedd yw ystyr enw'r ffermydd er ei bod yn anodd canfod gwahaniad mewn llecyn mor wastad a chorsiog.

A dyma ni yn ôl ger Graianog ac yn ymuno â llwybr y teithiau blaenorol. Dyna ni wedi cael cip ar hanes a chwedlau'r gorffennol pell wrth deithio'r ardal yma rhwng môr a mynydd.

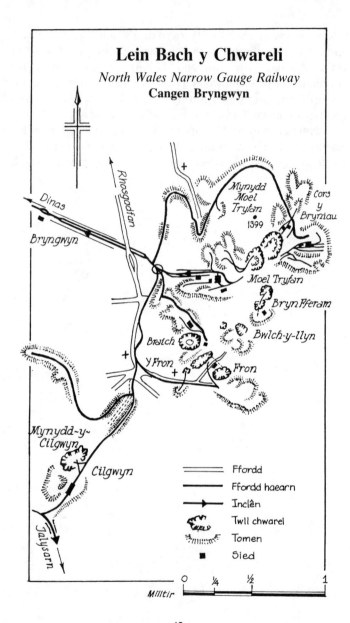

Lein Bach y Chwareli

North Wales Narrow Gauge Railway
Cangen Bryngwyn

Dinas

Bryngwyn

Rhosgadfan

Mynydd Moel Tryfan
1399

Cors y Bryniau

Moel Tryfan

Bryn Fferam

Bwlch-y-llyn

Braich

Y Fron

Fron

Mynydd-y-Cilgwyn

Cilgwyn

Talysarn

————	Ffordd
▬▬▬▬	Ffordd haearn
▬▬▬►	Inclên
🌿	Twll chwarel
⌣⌣⌣⌣	Tomen
■	Sied

0   ¼   ½   1
Milltir

42

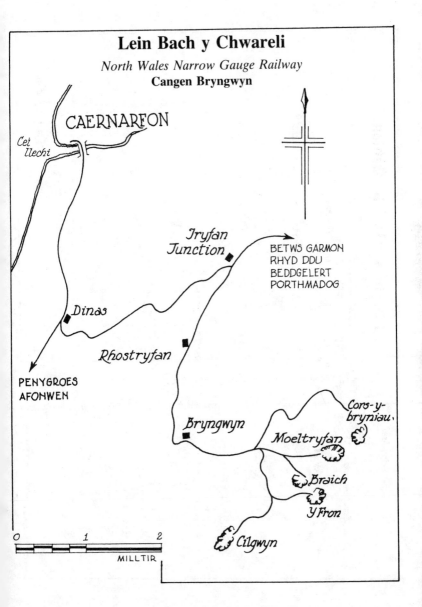

Lein Bach y Chwareli

North Wales Narrow Gauge Railway
Cangen Bryngwyn

CAERNARFON

Cei llechi

Tryfan Junction

BETWS GARMON
RHYD DDU
BEDDGELERT
PORTHMADOG

Dinas

Rhostryfan

PENYGROES
AFONWEN

Bryngwyn

Cors-y-bryniau

Moeltryfan

Braich

Y Fron

Cilgwyn

0   1   2

MILLTIR

43

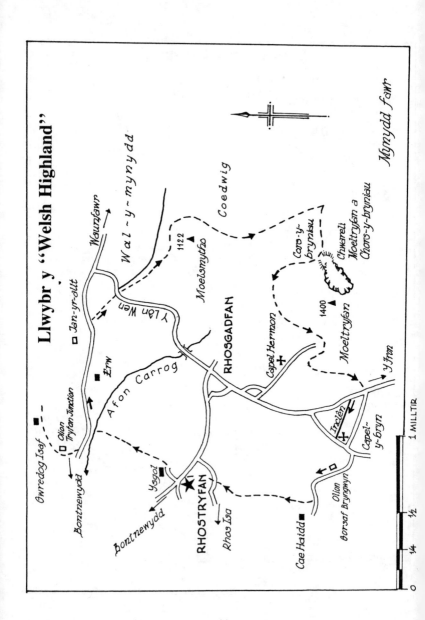

Llwybr y "Welsh Highland"

44

6. LLWYBR TRÊN BACH BRYNGWYN

Cyfarwyddiadau

Hyd: 7½m.
Ansawdd: Llwybrau, gwlyb mewn mannau, caregog dro arall.

Cychwyn o Rostryfan — heibio'r ysgol — chwith drwy giât Hafoty Wernlas ar lwybr y 'lein', cadw arno — yna ar ôl croesi afon Carrog drwy fwlch yn y wal ar y chwith a llwybr allan i'r ffordd — dde i fyny'r ffordd — llwybr i'r dde gyferbyn â giât Tan-yr-allt — drwy'r giât allan i'r mynydd — syth i fyny at y Lôn Wen — croesi'r Lôn Wen — dilyn y llwybr wrth ochr y wal o gwmpas Moel Smytho — llwybr wrth ochr wal y goedwig — torri ar draws at domennydd llechi Cros y Bryniau — dros y domen at siediau Cors y Bryniau — i'r dde i lawr llwybr y 'lein' — rhwng dwy domen — o amgylch y mynydd — croesi'r ffordd tu cefn i gapel Hermon — cadw ar yr un llwybr rhwng y cloddiau — allan i ffordd Fron — Rhosgadfan — i'r dde am ychydig gamau ac yna i lawr yr inclên yr ochr isaf i'r ffordd — i'r chwith heibio hen gapel y Bryn ac i'r dde wrth Llys Meirion — cadw ar y ffordd heibio olion gorsaf Bryngwyn — llwybr ar y dde drwy giât mochyn ychydig cyn giât Cae Haidd — cadw ar y llwybr yma dros y camfeydd nes cyrraedd y ffordd ar gwr Rhostryfan — dde i fyny'r allt yna chwith heibio Tan-y-gelynnen am ganol y pentref.

Y Daith

Am rannau o'r daith byddwn yn dilyn llwybr yr hen *North Wales Narrow Gauge Railway* Cangen y Bryngwyn, neu'r *Welsh Highland Railway* fel y'i gelwid yn ddiweddarach. Âi'r brif gangen o Dinas i'r Waunfawr drwy Betws Garmon, Rhyd-ddu, Beddgelert a thrwy dwneli Aberglaslyn i Borthmadog. Er mwyn cario llechi o chwareli ochr ogleddol Dyffryn Nantlle yr agorwyd

45

Cangen Bryngwyn. Cwta 6 milltir sydd rhwng Chwarel y Cilgwyn a Chaernarfon fel yr hed y frân, ond ymddolennai'r ffordd haearn fel neidr am 12 milltir wrth ddisgyn 800 troedfedd. Cychwynnai'r ffordd o Gors y Bryniau yn uwch fyth — 1200'. Dyna roi syniad o'r dasg anodd o godi rheilffordd mewn lle mor fynyddig. Un fantais, wrth gwrs, oedd mai ar i lawr yr eid â'r llwythi.

Yn dilyn Deddf Llywodraeth ym 1872 ffurfiwyd y N.W.N.G. Railway Co., gyda'r bwriad o agor ffordd haearn. Roedd dwy ran i'r *Moel Tryfan Undertaking*, ffordd 5½m o Dinas i'r Gogledd o Lanwnda ar y *Caernarfonshire Railway* yn rhedeg i'r dwyrain wrth odre gogleddol llechweddi isaf Moeltryfan i Tryfan Junction, yna yn ôl i'r de i chwareli yn ymyl Bryngwyn ac yna rhan 7¼ i'r dwyrain o Tryfan Junction i ffordd Caernarfon, drwy Beddgelert ac yna drwy'r Waunfawr a Betws Garmon wrth ochr Llyn Cwellyn i Rhyd-ddu. Wedi oedi droeon cwblhawyd y ffordd un llinell ac agorwyd hi i drafnidiaeth, nwyddau a theithwyr, yn haf 1877. Rhwng Dinas a'r Bryngwyn roedd stesion yn Tryfan Junction a Rhostryfan. O'r Bryngwyn âi'r ffordd i fyny inclên ac yna gwahanai yn y "drumhead" ger Fron Heulog gyda changhennau'n mynd i chwareli Cors y Bryniau, Moel Tryfan, Braich, Y Fron a'r Cilgwyn. Bu'n brysur am gyfnod, a phoblogaidd iawn gyda theithwyr o ardal Carmel a Rhostryfan, ond edwinodd y diwydiant llechi a bu'r Rhyfel Byd Cyntaf yn ergyd drom. Daeth trafnidiaeth teithwyr o'r Bryngwyn i ben ym 1913. Ym 1922, unwyd y cwmni â'r *Welsh Highland Light Railway* ond caewyd y lein yn derfynol ym 1937. Erys olion adeiladau gorsafoedd Bryngwyn a Tryfan Junction, ac erys y llwybr yn un braf a diddorol i'w gerdded.

Gyda hyn yna o gefndir, onid yw hi'n bryd i ni gychwyn cerdded deudwch? Cawn uno â'r llwybr uwch ben ysgol Rhostryfan lle bu'r hanesydd lleol, Gilbert Williams, yn brifathro. Arferai prysurdeb y stesion fod yma, ond lle hwylus i gynnau'r goelcerth flynyddol yw heddiw. Awn mewn llinell eithaf syth ar lwybr llydan, sych ar y cyfan gyda llwyni a choed o boptu, digon o fwyar duon, eirin surion, criafol a chnau yn eu tymor. Cawn olygfa dda i lawr i gyfeiriad y môr a Chaernarfon.

Mae dipyn o dir gwyllt, gwlyb i gyfeiriad Wernlas Ddu, sy'n lloches i fywyd gwyllt: gwelaf ffesantod yn codi reit aml a chwningod a sgwarnogod yn gwibio hyd y caeau.

Bydd y plant wrth eu boddau yn dod ar hyd y ffordd hon, er mwyn cael chwarae o gwmpas afon Carrog, cuddio rhwng y coed cyll, sboncio fel llyffantod ar y cerrig yn yr afon neu gogio pysgota efo brigyn crin.

Wedi dod allan i'r ffordd ger gwaith dŵr y Bicell, mae'n werth troi i lawr, ac yna i'r dde i weld olion gorsaf Tryfan Junction sydd bron ar goll yn y drain. *"Drain ac ysgall mall a'u medd"*.

Awn i fyny'r hen ffordd rhwng y Bontnewydd a'r Waunfawr yn awr. Wedi esgyn ychydig daw ffermdy'r Erw i'r golwg ar y dde. Yn union wedi mynd drwy giât yr ochr isaf iddo, ewch i'r cae ac ar y dde chwiliwch am y ffynnon. Yn ôl traddodiad dyma Ffynnon Beuno, a heb fod ymhell i gyfeiriad afon Gwyrfai mae Gwredog, a dyma ni'n ôl i oes y seintiau.

Aeth Beuno i Gaernarfon i ofyn i'r brenin Cadwallon a gâi dir i godi eglwys yn y cyffiniau. Rhoddodd wialen aur yn anrheg i'r brenin, a rhoddodd yntau dir Gwaredog i Beuno. Aeth yntau a'i fynachod ati'n llawen i godi'r eglwys, ond fel yr oeddynt wrthi, daeth mam a'i baban heibio. Gofynnodd y fam i Beuno fendithio'r baban. "Â chroeso, fy merch, ond gadewch i mi orffen codi'r wal yn gyntaf," atebodd.

Ar hyn dechreuodd y baban wylo'n hidl. "Bobl bach! Beth sy'n poeni'r bychan?" gofynnodd Beuno.

"Chi sydd wedi dwyn ei dir. Ei dad oedd gwir berchennog Gwaredog ond mi'i dygwyd oddi arno gan y brenin," atebodd y fam.

Tosturiodd Beuno wrthynt ac aeth at y brenin gan fynnu cael tir arall ganddo. Gwrthododd y brenin. Aeth Beuno ymaith yn drist ac eisteddodd i orffwys yn fuan wedi croesi'r afon Seiont. Daeth Gwyddaint, cefnder y brenin ar ei ôl a chynnig tir yng Nghelynnog iddo. Derbyniodd Beuno y cynnig yn llawen, rhoddodd dir Gwaredog yn ôl i'w wir berchennog, ac aeth ati i godi eglwys Clynnog Fawr yn Arfon. Yn ôl Bonedd y Saint yn y *Myvyrian Archaiology*, Gwaredog oedd man geni Padrig, nawdd sant Iwerddon! Dyma ddwed, "Padric Sant ap Alfryd ap

Gronwy ap Gwdion ap Dôn o Waredawg yn Arvon." Yn fwy ffeithiol, dyma gartref John Evans, aeth i America ac a welodd Indiaid Cochion yn siarad Cymraeg yn ôl yr hanes!

Parhawn i ddringo'n raddol, gan fwynhau golygfa eang i'r chwith i gyfeiriad y Waunfawr, Moel Eilio a Chefn Du. Wrth droi oddi ar y ffordd, awn drwy gae rhedynog ac yna allan i dir grugog ac eithinog Moel Smytho. Grug, eithin, rhedyn, rwy'n llawer mwy cyfarwydd â hwy nag â phorfeydd gwelltog a chaeau ŷd ffrwythlon. Daw eu cyffyrddiad â llu o atgofion, rhedyn yn cosi'r coesau a'r bochau, brigau crin y grug yn cripio a gadael llinellau gwyn ar goesau brownion, a'r eithin yn pigo drwy "bumps" ysgafn bachgendod:

> Ond gwn pwy wyf, os caf innau fryn
> A mawndir a phabwyr a chraig a llyn.
>
> T.H.P.W. (Cynefin)

Croeswn y Lôn Wen yma, ychydig is-law mae man parcio gyda charreg i goffáu Kate Roberts a anfarwolodd y Lôn Wen yn ei hunangofiant, ac yn wir holl ardal Rhosgadfan yn ei storïau. Y mynydd-dir a groeswn nesaf oedd lleoliad ei stori am Winni Ffini Hadog a Begw, Tê yn y Grug, ac wedyn down at Gors y Bryniau.

> Lôn wen yw ei thudalennau — ei chur
> A'i chof yw'r cerbydau;
> Rhag iaith frith o'r brith a'r brau
> Gyrrwn ar ôl ei geiriau.

Roedd cerrig gwynion ar wyneb yr hen ffordd drol cyn dyddiau'r tarmacadam tywyll. Oedwch i sawru'r olygfa ogoneddus o'r fan hon a darllenwch ddisgrifiad Kate Roberts:

> "Yr oedd y ffordd yn gul ac yn galed dan draed. O boptu yr oedd y grug a'r eithin, y mwsogl llaith a'r tir mawn. Yr oedd yr eithin yn fân ac ystwyth a'i flodau o'r melyn gwannaf megis lliw briallu, a'r grug cwta'n gyferbyniad iddo ef a'r tir tywyll oedd o'i gwmpas. Rhedai ffrydiau

bychain o'r mynydd i'r ffordd, a llifent ymlaen wedyn yn
ddŵr gloyw hyd y graean ar ei hochr. Weithiau rhedai'r
ffrwd i bwll ac arhosai felly. Croesai llwybrau'r defaid y
mynydd yn groes ymgroes ymhob man, a phorai defaid a
merlod mynydd llaes eu cynffonau hyd-ddo. Yr oedd
popeth a gysylltid â'r mynydd yn fychan — yr eithin, y
mwsogl, y defaid, y merlod."

Traed Mewn Cyffion.

Awn o gwmpas Moel Smytho, ac o'r ochr bellaf gallwn weld i
lawr am Fetws Garmon, afon Gwyrfai'n ymddolennu'n
hamddenol, y coed pïn ar ysgwydd y Mynydd Mawr, a Chwm Du
fygythiol, dywyll un ochr i'r dyffryn, ac yna Moel Eilio, Foel
Gron, Foel Goch a Moel Cynghorion fel crwban â'i phlant yr
ochr arall, ac yn goron ar y cyfan, Yr Wyddfa.

Gorchuddia grug ran helaeth o'r tir hwn, gyda brwyn, mwsog a
chwŷs yr haul mewn mannau gwlyb yma ac acw: dyma Gors y
Bryniau, rhwng Moeltryfan a'r Mynydd Mawr.

Pan welwch domennydd llechi'n ymestyn tuag atoch,
croeswch y lle glas atynt, ewch at y fan lle mae'r lleiaf o waith
dringo dros y domen ac mi ddowch at lwybr gwastad ger hen
siediau chwarel Cors y Bryniau. Dyma ben uchaf y ffordd
haearn. Cewch fwy o gyfle i stelcian o gwmpas y chwarel a'r
siediau ar daith 7, ond y tro yma ewch i lawr y llwybr ar y dde sy'n
cylchynnu Moeltryfan.

Gallwn ddilyn llwybr y ffordd haearn yn ôl i Rostryfan heblaw
am fymryn bach pan fo raid mynd ar y ffordd. Wedi dod at
waelod y mynydd mae'r llwybr yn dolennu ddwywaith —
gwelwch y cwtin a'r cloddiau'n glir yma. Yna awn drwy dir
corsiog eto, y Gors Goch y tro hwn lle bu trigolion y tyddynnod
yn lladd mawn. Mae digon o byllau yma i'r plant fynd i chwilio
am grifft llyffant yn y gwanwyn.

Wrth ddod i lawr at y ffordd, mi welwch ddarn o wal lechi yn y
cae ar y dde. Yma roedd y 'drumhead' — y drwm anferth o
gwmpas yr hwn y dirwynid y gwifrau dur i dynnu'r wagenni i
fyny'r inclên o stesion y Bryngwyn. Ar y tir gwastad hwn y

gwahanai'r canghennau i'r gwahanol chwareli. Mi welwch inclên arall i fyny'r domen tu cefn am siediau Moeltryfan. Diflanna'r llwybr am y Cilgwyn a'r Fron i'r ffordd ymhen sbel, ond gwelir ei holion yma ac acw.

Croeswch y ffordd i lawr yr inclên, hawdd gweld oddi wrth ei lled ei bod yn ddwbl yma, ac ymhen sbel, mi welwch olion stesion Bryngwyn yn y cae ar y dde — gwaelodion y waliau'n unig a erys.

Wedi ailymuno â'r llwybr awn yn syth am Rostryfan, ar i waered yn raddol. Dyma lwybr braf eto, bydd blodau'r drain yn rhes yma'n y gwanwyn ac mi welwch ddigon o flodau sy'n hoff o wlybaniaeth yn y ffosydd a'r caeau corsiog: na'd-fi'n-angof, blodyn mwnci, carpiog y gors, tegeirian y gors. Mi glywch ddigon o fwyalch, pïod, dryw, llwyd bach, ji-binc yn y coed. Cofiaf fy rhieni'n sôn am gerdded i stesion Bryngwyn o'r Cilgwyn a dal y trên bach am Gaernarfon. Gallwch ddychmygu mor braf fyddai teithio ar y trên ar hyd y ffordd hon ers talwm. Diflannodd llawer o'r rhamant o'n bywydau yn yr oes dechnolegol hon.

O.N.
Roedd y Lôn Wen yn lôn wen go iawn pan redais hyd-ddi ac ar Foel Smytho ar y 14eg Ionawr, 1985. Hwyr brynhawn oedd hi, a'r awyr lwyd yn drwm o'r plu ysgafn, heblaw am lewyrch pinc egwan dros yr Eifl wrth i'r haul noswylio. Dim sŵn ond fy nhraed yn crensian ar y llwybrau, a'r byd yn gyfyng. Ymwthiai'r tomennydd brithion drwy'r llwydni, ymgrymai'r brwyn dan bwysau'r eira, a chodai'r grug fysedd noeth, rhewllyd tuag ataf. Y cyfarwydd yn gyfareddol newydd.

7. CHWARELI DYFFRYN NANTLLE

Cyfarwyddiadau

Hyd: 9m
Ansawdd: Llwybrau garw gan mwyaf, peth ffordd.

Cychwyn o bentref y Fron ar ffordd Rhosgadfan — troi ar y dde wrth Fron Heulog oddi ar y ffordd hyd hen lwybr rheilffordd y chwarel (gw. Taith 6) — cadw ar hwn rhwng dwy wal, heibio capel Hermon — troi i'r chwith wrth odre Moeltryn — rhwng dwy wal ar lwybr caregog ac o gwmpas y mynydd nes cyrraedd gweddillion siediau Cors y Bryniau — troi i lawr ar y dde a drwy'r tyllau (mae ffordd yma!) at y lle gwastad lle bu sied Moeltryfan — dilyn y llwybr ar y chwith — troi ar y dde o'r llwybr at giât yn y wal sy'n eich wynebu — heibio Plas Braich a chwarel Braich i lawr i ganol pentref y Fron — troi i lawr ffordd Pen-yr-orsedd am chwarel Pen-yr-orsedd — heibio'r siediau — i lawr y llwybr igam-ogam i Nantlle — i'r dde wrth y tai a syth ymlaen heibio tyllau Pen-y-bryn — cadw i ochr dde twll Dorothea ac i Dalysarn. Troi i fyny drwy'r giât wrth ochr y cylchdro.

Mae nifer o lwybrau, dim ond cadw ar i fyny sydd raid ac fe ddowch i'r Cilgwyn. Dewis o ffordd — a) ar ben y domen — y ffordd i'r Arllwysfa. b) at gapel y Cilgwyn — syth ymlaen ar lwybr trol — yn ôl i'r Fron.

Y Daith

Fyddai Dyffryn Nantlle ddim byd tebyg i'r hyn ydyw heddiw heblaw am y chwareli, felly beth am geisio gweld hynny a fedrwn ohonynt o fewn cwmpawd un daith? Mi gychwynnwn o bentref y Fron gan wneud ffigwr wyth drwy chwareli'r llethrau a'r rhai ar waelod y dyffryn. Peidiwch â dod os cewch y bendro wrth sefyll ar ben cadair! Cyn cychwyn beth am ddarllen argraffiadau'r

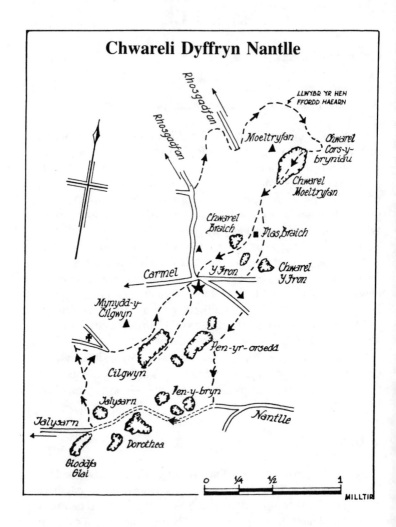

Chwareli Dyffryn Nantlle

Rhosgadfan

Rhosgadfan

LLWYBR YR HEN
FFORDD HAEARN

Moeltryfan ▲

Chwarel
Cors-y-
bryniau

Chwarel
Moeltryfan

Chwarel
Braich

Plas Braich ■

Carmel ▲

Y Fron

Chwarel
Y Fron

Mynydd-y-
Cilgwyn ▲

Pen-yr-orsedd

Cilgwyn

Pen-y-bryn

Talysarn

Nantlle

Talysarn

Dorothea

Gloddfa
Glai

O   ¼   ½   1

MILLTIR

Parch. Peter Bailey Williams pan ddaeth i'r dyffryn tua 1820.

> ". . . the Slate Carts (of which the stranger will meet with a great number) will be a sufficient direction. It is thought necessary to mention these particulars, as there are neither mile stones nor finger posts to point the way, and but a few of the country people understand the English language. . .
>
> The principal Slate Quarries are the Cilgwyn and Havodlas (Cloddfa'r Coed) here there is a Steam Engine, to supply the place of another which lately fell into the quarry and was broke; . . ."

Mi welwch ddigon o dyddynnod wrth fynd ar y ffordd am Rosgadfan. Caeau bychain a waliau cerrig sydd yno: dychmygwch lafur y chwarelwyr yn eu codi ac yn ceisio troi tir y mynydd yn borfa faethlon a hyd yn oed yn gaeau gwair. Dirywiodd ansawdd y tir erbyn heddiw, cripiodd yr eithin a'r brwyn fesul blwyddyn i ailafael yn eu treftadaeth. Mi fu cadw gwartheg, moch, a ieir yma; cael eu gosod i'w pori gan ddefaid neu geffylau yw eu hanes bellach. Cofiwch, mae graen go dda ar ambell ddyddyn; rhaid i mi beidio rhoi darlun rhy dywyll ohoni.

Ger y Fron Heulog, awn ar lwybr y ffordd haearn heibio capel Hermon, mewn llecyn agored i'r gwynt o'r Eifl. Lle anghysbell i gapel, meddech, ond nid felly pan oedd teuluoedd niferus ym mhob tyddyn sy'n britho'r llethrau fel y frech wen.

Mae golygfa wych o'r mynyddoedd o Gors y Bryniau, ond dychmygwch weithio yn y siediau drafftiog yn oerwynt Ionawr, y grepach ar eich dwylo a'r llechi'n oer fel rhew. Cerddwch i lawr drwy'r tyllau a dychmygwch y creigwyr ar raff uwch y dibyn a'r glaw'n curo'n ddidostur.

> "Ei gyffro — edrych ar fwg y ffrwydriad
> O allor y glec a'r agor glas;"
>
> Emrys Roberts (Chwarelwr)

Ddim yn aml y cewch y cyfle i gerdded i grombil mynydd, os na fuoch y tu mewn i orsaf drydan Dinorwig. Mi welwch fod nifer o dyllau yma ar un adeg: Cors y Bryniau ar yr ochr agosaf atoch, a Moeltryfan yr ochr bellaf. Gweithiwyd y ddwy ar wahân ond dros amser aethant yn un. Blondins a rhaffau dur i godi'r wagenni oedd yma tan ddyddiau olaf y chwarel pan agorwyd y ffordd droellog i alluogi lorïau i gario'r cerrig i'r sied. Doedd dim cymaint o ddŵr yma bryd hynny chwaith, pwmpid y dŵr ymaith yn ddi-baid. Mi welch do'r hen gaban bwyta uwch y fantell las-wyrdd.

> Mwy, dim ond mastiau mud
> Uwch pyllau a'u llond o ddŵr,
> A gwyrdd nadreddog eu llysnafedd
> Fel gardd o wenwyn,
> Fel cyfog yn magu cen.
>
> Mathonwy Hughes (Cwm Rwbel)

Mae digonedd o ffosiliau dail i'w gweld ar y llechi wrth gyrraedd pen y ffordd yr ochr draw i'r tyllau, ond i chwi graffu ar lawr ac ar wyneb y graig.

Down i lawr yn awr at safle siediau Moeltryfan. Cyrchfan i'r *North Wales Muzzle Loaders Association* yw ar benwythnosau pan glywir sŵn ergydion y gynnau lle bu sŵn yr ordd a'r cŷn. Dôi'r inclên i fyny yma rhwng y tomennydd.

Wedi mynd ar y llwybr o'r chwarel a heibio'r tyddyn, mi ddowch at Blas Braich, ac islaw iddo, chwarel y Braich. Mae'r dŵr gwyrddlas, llonydd yn llenwi hwn eto a'r llwybr yn rhedeg yn agos i'r dibyn.

Yn ôl â ni i bentref y Fron ac i lawr am chwarel Pen-yr-orsedd. Wrth gerdded i lawr yr allt serth tua'r siediau, mi welwch bod rhes o dyllau a rhesi o flondins. Daeth oes y rhain i ben, a chaewyd y chwarel am gyfnod ym 1979 gan fod y gost o ailosod gwifrau newydd yn ormodol. Daeth achubiaeth a phrynwyd y chwarel gan gwmni Williams, Gloddfa Ganol, Blaenau Ffestiniog. Gwnaed ffordd i lawr y twll hwn eto a chodwyd y cerrig gan y lorïau a'r J.C.B.s nerthol, anferthol. Rhoddodd hyn sicrwydd gwaith i ryw bymtheg o ddynion eto ond yna cafwyd newyddion drwg. Agorwyd hollt ddofn yn y graig uwchben lle y tyllid am gerrig ac aeth yn rhy beryglus i weithio yno. Efallai mai'r daeargrynfeydd yn haf '84 a siglodd seiliau'r mynydd a gwanhau'r holltau yn y graig. Mae ateb rhesymol, grant gan y llywodraeth i glirio'r brig ond nid oes sicrwydd eto a ddigwydd hyn. Er hyn, ailddechreuwyd gweithio yno unwaith eto fis Mawrth 1988.

Wrth gerdded i lawr y ffordd igam-ogam mi welwch yr hen siediau, ar lefelau is, a ddefnyddid pan weithid y tyllau'r ochr isaf i'r un presennol a hefyd olion yr inclêns a'r drymiau ar y ffordd haearn a âi heibio Dorothea i stesion Nantlle yn Nhalysarn ac oddi yno i Gaernarfon — y *Nantlle Railway*.

Mi ddowch i lawr at res o dai — hen dai'r chwarelwyr eto — a'r domen yn mygu'r cefnau. Ewch i'r dde ar hyd yr hen ffordd rhwng Nantlle a Thal-y-sarn. Cwympodd darn o'r ffordd i dwll Dorothea ym 1924 ac wedi hynny y codwyd y ffordd newydd yr ochr bellaf i'r dyffryn, a agorwyd ym 1926.

Rydym yng nghanol y chwareli o hyn ymlaen, tyllau Pen-y-bryn gyntaf yna Dorothea, Talysarn ac yn olaf, Cloddfa Glai.

Mae'n werth hamddena i chwilota o gwmpas chwarel Dorothea. Ceisiwch gael hyd i'r llefydd a nodais ar y map. (Map O.S. 1920). Mae'n anodd amgyffred ei ddyfnder wrth edrych ar y dyfroedd gwyrddion. 'Fyddai rhywun ddim yn credu chwaith mai ugain mlynedd yn unig sydd yna ers pan gaewyd y chwarel, mae'r fath olwg anniben yma.

> *"Yr hafn o graig a gafnwyd — yn agor*
> *Fel ceg a ddiddeintiwyd. . .*
>
> *. . . A gwaith dyn, fel brethyn brau*
> *Yn braenu rhwng y bryniau."*
>
> G.R. Tilsley (Cwm Carnedd)

Gellwch adael yr hen ffordd yma a chylchynnu'r twll. Wrth y gornel ger y caban y bu'r drychineb fwyaf yn hanes y chwarel a hynny gan mlynedd yn ôl. Ar nosòn Rhagfyr 29, 1884, gweithiai wyth o ddynion wrth olau lampau yn clirio rwbel yn Nhwll Ffeiar. Tua 11.30 y nos, clywyd ergyd dros y lle. Gwyddai'r gweithwyr mai arwydd o gwymp oedd: aethant i chwilio am gysgod i'r ochr ddeheuol gan y gwyddent fod yr ochr ogleddol yn beryglus, ond rhedeg i ddannedd y cwymp wnaeth y trueiniaid. Mi gladdwyd chwech ohonynt gan 200,000 tunnell o rwbel, tynnwyd dau yn rhydd ond bu un farw bron yn syth. Dychwelodd y llall i weithio ymhen amser. Nid dyma ddiwedd yr helynt, llifodd dŵr o lyn Nantlle Isaf o dan y tomennydd drwy'r man gwan a boddi'r twll. Cymerodd flwyddyn i'w sychu a chlirio'r rwbel.

Dyma beth welodd Thomas Pennant pan ddaeth ar hyd y ffordd hon ym 1781:

> "Cefais fy nhemtio i estyn ychydig ar fy ymchwiliad mynyddig; oblegid yn awr y mae y mynyddoedd yn iselhau yn dra chyflym o'u huchder mawreddog, ac yn myned yn llai o hyd fel y dynesant at Fôr y Werydd. Fy amcan oedd cael golwg ar ddau o lynau prydferth, a elwir Llynau Nantlle, y rhai a ffurfiant ddwy len brydferth o ddwfr, ychydig iawn o bellder oddiwrth eu gilydd. Oddiyma y ceir golwg ardderchog ar y Wyddfa, yr hon a derfyna yr olygfa trwy fwlch Drws y Coed. O'r fan hon y darfu i Mr. Wilson ein ffafrio â darlun o honi, yr hwn sydd mor fawreddog ag ydyw o gywir. Ychydig sydd yn hysbys o hyn; oblegid nid oes ond ychydig yn ymweld â'r lle."

Yn fuan ar ôl hyn, penderfynwyd sychu'r llyn isaf, sythu'r afon a chodi clawdd o boptu rhag i'r dyfroedd beryglu'r chwareli eto. Erbyn 1920 gwelir nad oes fawr ar ôl o'r llyn isaf ond erys y tir lle bu yn gorsiog iawn. (Map O.S. 1920).

Wrth ochr y ffordd, fel y gadawn dwll Dorothea, mae adfeilion Plas Tal-y-sarn. Hawdd gweld ei fod yn adeilad gwych ar un adeg gyda gerddi hardd o'i gwmpas. Deil rhai coed dieithr ar eu traed, er bod amryw o goed talgryf wedi'u torri yma'n ddiweddar. Gwelwn lwybr yr hen rheilffordd eto wrth ddynesu at dwll Tal-y-sarn. Down yn awr i olwg twll y Gloddfa Glai ar y chwith, gwastatwyd y tomennydd hyn gan yr Awdurdod Datblygu dan Gynllun Adennill Tir Diffaith ym 1977 ar gost o hanner miliwn o bunnoedd. Cariwyd peth pridd arnynt a phlannwyd coed yma ac acw. Mae'n eithaf glas yn barod — o hirbell, ni ddychmygai neb mai tomen lechi ydoedd gynt.

Rhaid dringo yn awr i gyfeiriad Parc Bel a'r Cilgwyn ac i fyny'r ffordd at gapel y Cilgwyn. Mae gen i hen ddarlun o aelodau'r capel ar ddechrau'r ganrif a dros ddeg ar hugain o blant ynddo, gan gynnwys fy rhieni. Roedd y Cilgwyn yn bentref bach bywiog bryd hynny, graen ar y caeau a gwyngalch ar bob tyddyn.

Ewch ymlaen ar y llwybr caregog o'r capel draw i gyfeiriad chwarel y Cilgwyn gan fynd heibio nifer o furddunod. Lle digalon, difywyd sydd yma i rywun a ŵyr yr hanes.

> *Tyddyn heb denant iddo, — a'r eiddew*
> *Yn nadreddu drosto,*
> *Danadl yn cloi amdano,*
> *A drain lle bu'i ffenestr o.*
>
> Anhysbys

Fel y crybwyllwyd eisoes, tomen sbwriel Arfon yw'r chwarel ers blynyddoedd, gyda'r lorïau'n tramwyo lle gynt yr âi'r wagenni i ben y domen i chwydu'r rwbel dros y grug a'r eithin.

Ymlaen â ni ar odre'r mynydd yn ôl i'r Fron. Dwn i ddim ydi gweld y fath alanastra wedi codi'r felan arnoch? Dwi'n siwr bod y daith wedi peri i chi sylweddoli aruthredd llafur y chwarelwyr gynt yn cloddio'r fath dyllau safnrwth â nerth bôn braich fynychaf. Gadawn y chwareli gyda geiriau Lisi Jones o'r Fron:

> *Ond ar fyrder nid erys*
> *O'i arwriaeth namyn y creiriau*
> *Yn hawddfyd yr amgueddfa.*

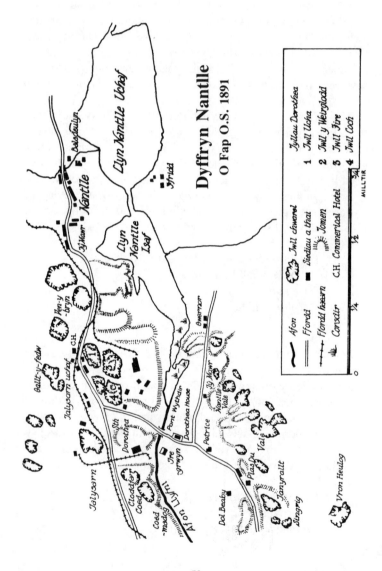

Dyffryn Nantlle
O Fap O.S. 1891

Llyn Nantlle Uchaf

Llyn Nantlle Isaf

Nantlle

Baladeulyn

Ffridd

Ty Mawr

Hen-y-bryn

Gallt-y-fedw

Talysarn uchaf   C.H.

Talysarn

Cloddfa'r Coed

Coed -madog

Sth Dorothea

Afon Llyfni

Tre Forwyn   Pont Wythdir

Dorothea House

Petrclir

Penyrorsedd

Nantlle Vale

Ty Mawr

Plas yn Vale

Tanyrallt

Singrig

Dol Beaby

Vron Heulog

Key:

Afon	Afon (river)
Ffordd	Ffordd (road)
Ffordd haearn	Ffordd haearn (railway)
Corsdir	Corsdir (marsh)
Twll chwarel	Twll chwarel (quarry pit)
Stediau a thai	Stediau a thai
Tomen	Tomen
C.H.	C.H. Commercial Hotel

Tyllau Dorothea
1 Twll Ucha
2 Twll y Weirglodd
3 Twll Fire
4 Twll Coch

MILLTIR   0   ¼   ½   ¾

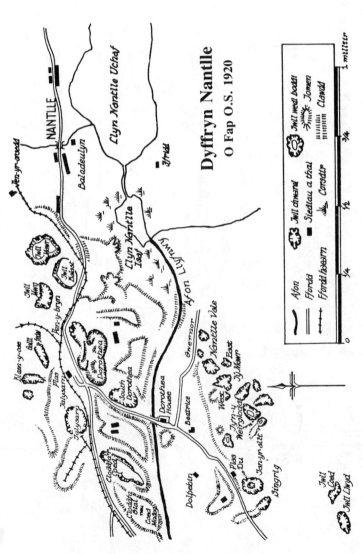

Dyffryn Nantlle
O Fap O.S. 1920

NANTLLE

Llyn Nantlle Uchaf

Llyn Nantlle Isaf

Afon Llyfni

Afon Gwerrfor

Pen-yr-orsedd

Baladeulyn

Drws

Twll Mawr

Twll Isaf

Twll Balast

Twll Uwg

Pen-y-bryn

Plas

Blaen-y-cae

Galt-y-Fedw

Talysarn

Talysarn

Cloddfa'r Coed

Cloddfa'r Glai

Coed Madyn

Dolpebin

Plas Du

Jan-yr-allt

Singrug

Nantlle Vale

West

East

Plas-y-Nant

Tan-y-Mynydd

Dorothea

South Dorothea

Dorothea House

Beatrice

Twll Coed

Twll Llwyd

Afon	Twll chwarel	Twll wedi boddi
Ffordd	Stedtau a thai	Tomen
Ffordd haearn	Corsdir	Clawdd

0   ¼   ½   ¾   1 milltir

59

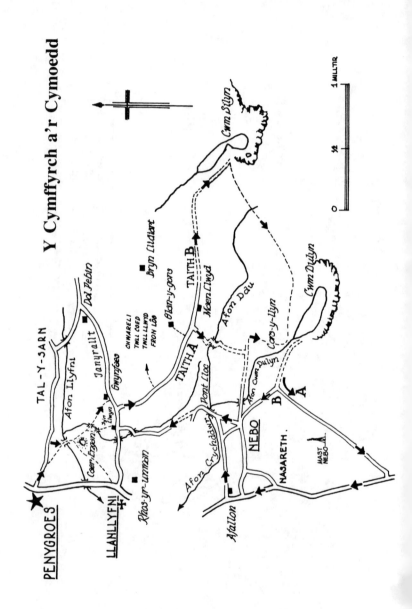

Y Cymffyrch a'r Cymoedd

8. Y CYMFFYRCH A'R CYMOEDD

Cyfarwyddiadau

Hyd: A - 10m; B - 8m.
Ansawdd: Ffordd, llwybrau creigiog, llwybrau defaid.

Taith A

Cychwyn o Ben-y-groes ar ffordd Tal-y-sarn — arwydd llwybr cyhoeddus ar y dde — 1. gyferbyn â hen dyrpeg Pant Du — chwith drwy'r coed at y gamfa ym mhen pella'r cae — pont droed dros afon Llyfni — at odre Caer Engan — cadw i'r chwith o'r bryn — dewis o ddau lwybr at Ty'n Llwyn neu Gwynfaes — dod allan i ffordd Llanllyfni — Tanrallt. O Gwynfaes i'r dde, o Ty'n Llwyn chwith — yna troi i fyny ffordd Cwm Silyn — (arwydd chwarel Fron-lôg wrth ei cheg) — i fyny am filltir. 2. i'r dde ar lwybr trol wrth arwydd Maes y Neuadd — dilyn hwn nes dod i'r ffordd ar fin Cors y Llyn, i'r chwith i ben draw'r llwybr trol — yna i'r dde wrth ochr y wal — croesi afon Cwm Dulyn ychydig islaw'r llyn — i'r dde — i'r chwith i fyny'r allt heibio mast Nebo — i'r dde am Nasareth — i'r dde wrth Afallon — i'r chwith ym Mhont Lloc — llwybr trol — fforch syth ymlaen ar lwybr defaid wrth ochr yr afon — yna ffordd darmac ac yn ôl i ffordd Llanllyfni — Tanrallt — yn ôl trwy Ty'n Llwyn i Ben-y-groes.

Taith B

Fel A i gychwyn — ymlaen at lynnoedd Cwm Silyn — dros ysgwydd y mynydd at Llyn Dulyn — yn ôl i ganol pentref Nebo — heibio'r ysgol — troi i lawr at Bonc Lloc — ymlaen fel taith A.

Gallwch wneud amrywiaethau eraill yn ôl y gofyn. Gellid byrhau'r daith wrth gychwyn o Lanllyfni ar hyd Lôn Ddŵr.

Taith A

Taith i fwynhau rhyddid y mynydd-dir yw hon. Mi groeswn lawr y dyffryn o Ben-y-groes i gyrraedd ffordd Tan-yr-allt, yna buan iawn y gadawn y dyffryn ymhell oddi tanom wrth fynd i fyny'r ffordd am Gwm Silyn. Mae nifer helaeth o fân dyllau chwarel yr ochr ddeheuol i'r dyffryn ond ni fuont erioed mor llewyrchus â'r rhai ar lawr y dyffryn ac ar yr ochr ogleddol. Pery dyrnaid i weithio yn y Fron-lôg a Thwll Coed, ond cynhyrchu llechi amryliw ar gyfer gratiau a slabiau palmantu a wnânt. Nid ydynt o'r ansawdd briodol i'w hollti'n denau ar gyfer llechi toi. Mi ewch heibio'r llwybr am chwarel Fron-lôg wrth esgyn.

Beth am saib i gael eich gwynt atoch? Gwelwch Dal-y-sarn oddi tanoch yn strimyn main, Clogwyn Melyn a Mynydd y Cilgwyn y tu cefn a chreithiau glas ar bob llaw.

Mae'r ffordd yn gwastatáu beth ymhen rhyw filltir: rydych ar ysgwydd y Cymffyrch yn awr. Mi welwch lwybr am Glan-y-gors ar y chwith — yma y ganed R. Alun Roberts ym 1894. Creigiwr yn Norothea oedd ei dad: roedd cryn daith ganddo i lawr i'r chwarel, a mwy fyth o ymdrech yn ei wynebu i fustachu'n ôl wedi caniad i lafurio ar y tyddyn anghysbell. Wyddom ni mo'n geni heddiw. Does ryfedd i R. Alun Roberts wneud ymchwil i borfa fynyddig a bywyd ar y ffermydd mynyddig: gwyddai'n dda beth oedd crafu tir Cwm Silyn. Cofia llawer amdano fel llenor, ond rhown glod i'r gwyddonydd ynddo hefyd. Faint ŵyr heddiw mai ef oedd athro cyntaf Llysieueg Amaethyddol Coleg y Brifysgol, Bangor?

Awn ar draws i gyfeiriad Nebo yn awr, y pentref a'r tyddynnod yn glwstwr o gwmpas Moel Bron-y-rhiw. Mynydd Llanllyfni oedd enw'r ardal cyn twf y pentrefi yn sgïl datblygiad y diwydiant llechi. Gweundir go gorsiog yw, a nifer o'r tyddynnod wedi mynd â'u pennau iddynt, ond mae bywyd mewn ambell i un o hyd, a'r rheini wedi'i hadnewyddu'n grefftus. Edrycha'r clwstwr o goed pïn yn od iawn i mi, y gwyrdd tywyll yng nghanol llymdra brown y mynydd.

Gwell mynd o amgylch Cors-y-llyn, cynefin y gylfinir a'r crëyr. Medrwn sboncio o garreg i garreg dros Afon Cwm Dulyn ac anelu am fast Nebo.

Dwi'n cofio rhai'n dringo hwn yn nyddiau ymgyrch y Sianel: daw ag atgofion pleserus o ddyddiau, neu nosau gan amlaf, cynhyrfus. Nid ar chwarae bach y daeth S4C i fod — gwelaf y wynebau penderfynol a'r aberth bob tro y dringaf heibio Mast Nebo.

Wedi cyrraedd pen yr allt, ymegyr golygfa eang o Eifionydd o'ch blaen: o'r Eifl i Fwlch Mawr, Pant-glas a chors Graianog, Mynydd Cennin a Bwlch Derwin, draw tua Moel-y-gest. Welwch chi'r holl waliau cerrig union fel saethau i fyny Mynydd Craig-goch? Dyna i chwi lafur oedd codi'r rhain. Tu draw mae Cwm yr Haf, oedd mor hoff gan Eifion Wyn.

> *Hir a main rannwr mynydd, — neu union*
> *Derfynwr fforestydd;*
> *A dalied ffiniau dolydd*
> *Yn ddi-fwlch, a hedd a fydd.*

J. Penry Jones

Awn i lawr allt serth a down at yr hen ffordd o Lanllyfni draw am Garn Dolbenmaen, yn uwch na'r briffordd bresennol ac o'r herwydd yn fwy troellog a goleddog, ond mae'n brafiach o lawer i'w gerdded, ymhell o ddwndwr trafnidiaeth.

Toc, down at bentref Nasareth. Sylwoch chi gymaint o bentrefi ardaloedd y chwareli a enwyd ar ôl llefydd o'r Beibl? Y rheswm mae'n debyg yw i'r pentrefi dyfu'n gyflym gyda dylifiad y chwarelwyr i'r ardal, ac i'r capeli gael eu codi cyn llawer o'r tai. Felly, mabwysiadodd y pentref enw'r capel: Nasareth, Nebo, Carmel, Bethel, Rachub, Bethesda, Ebeneser (hen enw Deiniolen).

Os am gyw iâr blasus, cofiwch mai yma ym Mryn-gwyn y trig O.P. Huws, perchennog rhadlon Cywion Ieir Cartra. Mi awn o amgylch pentref Nebo, drwy ardal fryniog yn frech o ddyddynnod, waliau cerrig a chaeau ceiniog a dimau. O bont Lloc, awn i lawr yn ôl am waelod y dyffryn gan ddilyn afonig fechan a fyrlyma i lawr hafn goediog tua Chaer Engan.

Wrth ddod tua'r gwaelod, dychmygwch bod milwyr yn cuddio mewn ffosydd o'ch blaen. Dyna ddigwyddodd un tro yn ôl y chwedl. Aeth bugail i fyny at Gwm Dulyn a chanfod haid o

Wyddelod yn gwersylla wrth y llyn. Rhuthrodd yn ôl i rybuddio trigolion Caer Engan. Trawodd eu pennaeth ar gynllun i osgoi cael eu trechu gan y Gwyddelod rheibus. Cloddiasant ffosydd ar waelod y llechwedd rhwng Cwm Dulyn a'r gaer a chuddiasant ynddynt i aros y gelyn. Bu'r ystryw yn llwyddiannus a ffodd y Gwyddelod am eu bywydau. Gelwir fferm ar gyrion Llanllyfni yn Rhos-yr-unman, heddiw — 'neb yn y golwg yn unman', neu 'Rhos yr hun-fan' yw dau eglurhad i darddiad yr enw.

Taith B

Rydych eisoes wedi bod ar gyrion Cymoedd Silyn a Dulyn: beth am fentro i'w perfeddion y tro hwn? Dyma gyfle i ni fyfyrio ar fawredd a hir-hoedledd y mynyddoedd, i ryfeddu at nerthoedd y rhewlifoedd, ac i sylweddoli bychander a byrder einioes dyn. "Dyddiau dyn sydd fel glaswelltyn. . ." Defnyddiai'r chwarelwr gowjian i rychu darn o lechen, wel dyma'r rhew wedi crafu talpiau anferth yn rhydd o'r mynyddoedd gan adael y tyllau dyfn, tywyll. Mi fydd y rhain yma hyd yn oed os dewisa dyn chwythu ei hun a phob bywyd ar y ddaear i ebargofiant. Ia, rhyw feddyliau fel yna y bydda' i'n eu cael weithiau tra'n cyrchu'r cymoedd hyn.

Wedi mynd drwy'r giât ar derfyn y ffordd darmac, daw adfail tyddyn anghysbell ar ben y Cymffyrch i'r golwg. Dyma Fryn-llidiart, cartref Mathonwy Hughes, a'i ewyrth R. Silyn Roberts cyn hynny. Disgrifiodd R. Alun Roberts Frynllidiart fel "Ffarm unig a thra neilltuedig a diarffordd ar silff o gorsdir wrth odre'r mynydd ar ucheldir llwm a moel." Dyma fel y disgrifia Mathonwy Hughes ei daith i ysgol Nebo.

"I Ysgol Nebo, ysgol y mynydd, yr euthum, ac yr oeddwn yn saith oed yn dechrau mynd yno. Credai fy rhieni, yn ddigon rhesymol, ei bod yn ddiogelach i ryw greadur bach bywiog, digwmni fel myfi fynd i ysgol Nebo nag i Ysgol Talysarn, gan y buasai hynny'n golygu mynd i lawr trwy chwarel Tŷ Mawr ar hyd llwybr digon peryglus. Roedd hi'n agos i dair milltir o gerdded i Nebo, a hynny tros weunydd lle ni cheid cysgod cawnen ar dywydd drycinog.''

Byddaf wrth fy modd yn cerdded i fyny'r llwybr agored hwn ar bob tywydd. Yn nhes yr haf, pan prin y gwelir Dinas Dinlle a'r môr, bydd arogl yr eithin a'r grug yn felys, cân yr ehedydd wrth droelli i'r glesni yn falm i'r glust, y gwres yn dawnsio uwch creigiau aruthr y cwm a'r defaid yn eu siwtiau haf. Ddiwrnod arall, bydd y gwynt yn finiog a'r ffrydiau'n llifeirio, a'r rhaeadrau'n hufenog. Dro arall bydd y copäon dan hugan wen, y pyllau mawn yn gloëdig, a'r defaid prin yn ddyfal chwilio am welltyn.

Mi welwch yr holl dyllau a thomennydd oddi yma, yn strim-stram-strellach hyd y Dyffryn, a'r Wyddfa'n sbecian rhwng dannedd blaenllym Craig y Bera a llyfnder Mynydd Tal-y-mignedd. A beth sydd yna wedi cyrraedd pen y daith? Twll yn y mynydd a dau lyn — a thangnefedd. Oedwch, craffwch, myfyriwch.

Er mor uchel, tyf amryw o flodau yma. Bydd digonedd o ffa'r corsydd rhwng y ddau lyn ganol haf, chwys yr haul wrth y ffrydiau mân, tresgl y moch ymysg y gwellt gwydn, briweg y cerrig wrth y creigiau ac wrth reswm blodau'r grug ac eithin wrth y fil, a blodau'r llus, llus coch, a chreiglys ar y creigiau uwch. Efallai y gwelwch dinwen y garreg yn igam-ogamu o'ch blaen i'ch arwain ddigon pell o'i nyth neu gudyll coch yn "deor gwae" uwchben a gwylanod yn sgrechian uwchben y llyn.

Mae llwybr defaid yn arwain draw at ben pellaf yr ail lyn a thros boncen llecha trydydd llyn, fel plentyn bach i'r ddau arall yn pwdu yn y gornel o'r golwg.

Gyda llaw, os gwelwch rywun yn rhedeg yn ysgafn heibio a chithau'n chwythu a chwysu'ch ffordd i fyny, Tegid Roberts o Lanllyfni fydd o, ymhen rhai munudau bydd yn smotyn du'n croesi'r grib, tua copa Craig Cwm Silyn. Mae'n rhedeg ers pan oedd yn ddim o beth, dan ofal ei dad bryd hynny. Priodol iawn yw fod ras goffa ei dad, Bob Roberts, yn rhedeg hyd rannau helaeth o'r daith hon, gan mai dyma'u hoff fangre ill dau.

Gwrandewch ar y tonnau'n cusannu'r cerrig, edrychwch ar y cymylau'n chwarae mig drwy'r grug, mwynhewch anwes yr awel bur ar eich wyneb.

Beth am bicio drws nesa 'rwan? Taith milltir go dda drwy'r grug ac mi ddowch i lawr at lan Llyn Dulyn. Codwyd argae yma, a gwelwch y gwaith dŵr newydd wrth fynd tua Nebo. Oddi yma y caiff pentrefi'r dyffryn eu cyflenwad dŵr. Mae'n bosib cerdded o amgylch y llyn, ond byddwch yn ofalus yn y pen pellaf lle mae'n rhaid cerdded dros gerrig mawrion gwaelod y sgri. Nid yw mor anghysbell ac anferthol â Chwm Silyn, ond perthyn i Gwm Dulyn hefyd ei ramant.

Medrwch gychwyn eich taith o Nebo a dringo i'r copa mewn dim o dro, gan gadw digon i'r dde o'r dibyn. Mae llwybr i fyny at Graig Cwm Silyn hefyd.

> Yna ceir niwl yn cau
> Am lonydd gwm a'i lynnau,
> Ar lan a chorlan a chwch,
> Diwaelod ei dawelwch.

Mathonwy Hughes (Cwm Silyn)

Llynnoedd Cwm Silyn

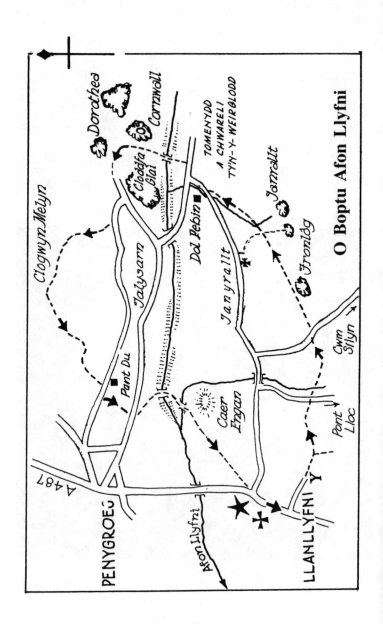

O Boptu Afon Llyfni

9. O BOPTU AFON LLYFNI

Cyfarwyddiadau

Hyd: 5m.
Ansawdd: Llwybrau — drwy gaeau, llethrau, a thros domennydd llechi.

Cychwyn i fyny'r ffordd heibio ysgol Llanllyfni — i'r dde drwy giât mochyn — trwy'r caeau — llwybr wrth y wal ar y dde — croesi lôn Talgarnedd — dros y bont — syth ymlaen drwy'r caeau — croesi Lôn Cwm Silyn — ymlaen ar y tomennydd llechi — i lawr y domen at y ffordd sy'n mynd i chwarel Tan-yr-allt — i'r chwith ac yna i'r dde trwy'r giât gyferbyn â'r tŷ — tros fwy o domennydd — croesi'r afon — dilyn y llwybr wrth yr afon at y ffordd — i'r dde heibio cefn tai Bro Silyn — croesi'r briffordd heibio Tai Petris — dringo dros y domen ym mhen y ffordd wrth y peiriant trawst — ar ben y domen i'r chwith ac at y cylchdro — ymlaen ar hyd y ffordd i Dal-y-sarn — dde i fyny Cavour St. — i'r dde i fyny llwybr serth wrth ben ucha'r stryd.

Dilynwch y llwybr i ben Clogwyn Melyn — ar y top trowch i'r chwith ar i lawr oddi wrth y giât mochyn — i'r dde trwy giât lydan ar draws y cae a thrwy giât arall — i'r chwith i lawr at y lôn — i'r dde am ychydig at gaeau Ysgol Dyffryn Nantlle — i'r chwith at dolldy Pant Du — syth ar draws y lôn a thros y gamfa. Croeswch yr afon Llyfni unwaith eto dros y bont bren. Cadw i'r dde a thrwy fuarth fferm Caerengan. Dilyn y llwybr dros y caeau tuag at Fryn Castell ac allan i'r lôn wrth dai Maes Castell.

Nid yw'r llwybrau ar draws y caeau yn glir ym mhob man — rhaid mynd o giât i giât neu gamfa mae arna' i ofn. Mi fu cymaint o lwybrau ar y llethrau yma ers talwm pan gerddai pawb i'w gwaith ac i'r pentrefi, ond dirywiodd cyflwr llawer ohonynt bellach. Mae'n hanfodol i ni eu cerdded felly, cyn iddynt ddiflannu'n llwyr.

Y Daith

Taith gymharol fer ar bob ochr i'r dyffryn yw hon: eir heibio rhai o'r chwareli a dwsinau o dyddynnod, gan gadw o fewn golwg afon Llyfni ran amlaf.

Tŷ Gwyn yw'r lle cyntaf wedi mynd heibio'r ysgol: cartref Gareth Wyn Jones. Mi glywsoch am Ffilmiau Tŷ Gwyn mae'n debyg. Mae'r daith oddi yma draw at Ddôl Pebin yn ddifyr iawn, gwelwch lawr y dyffryn a'r Wyddfa o'ch blaen trwy Ddrws-y-coed. Mi groeswch nifer o ffrydiau bychain, ewch heibio digon o goed drain, criafol, cyll ac eirin a fydd yn berwi o adar y coedydd. Sylwch mai coed bychain y llethrau yw'r rhain. Wedi croesi Lôn Talgarnedd, mi welwch graig fawr ar ochr chwith y llwybr — 'carreg eisteddfod' i bobl Llanllyfni.

Yna, dowch at chwarel Fron-lôg — gwyrdd a brown yw'r graig yma. Mi groeswch y ffordd sy'n mynd i lawr am bentre bach Tan-yr-allt — gallech fynd i fyny am Fryn-llidiart ar y dde drwy'r tomennydd. Ceir helfa dda o eirin o'r coed fan hyn yn yr hydref. Cyrhaeddwn afon fechan arall yn y man, a dilynwn hi i lawr heibio'r coed cyll drwy lecyn hyfryd, cysgodol. Down allan tu cefn i stâd Bro Silyn: yma roedd Dôl Pebin y Mabinogi. Y tir hwn a amaethai tad Goewin, y forwyn a wasanaethai Math, a bu'n faenor bwysig am ganrifoedd.

> *"Yn Nolbebin gwin oedd gynt — a gwleddoedd*
> *Pob gloddest a helynt;*
> *Arglwyddaidd firagl oeddynt*
> *Gan y mael ar ei hael hynt."*
>
> Mathonwy Hughes

Cyfeiriodd R. Williams Parry hefyd at:

> *"Y ddôl a ddaliai Pebin*
> *Yn sblander bore'r byd."*

ond

"Rhyngom a'r ddôl ddihalog
Daeth chwydfa'r Gloddfa Glai."

Gadawsom y mân dyllau ac yn awr down at y chwareli enfawr ar lawr y dyffryn. Oedwch wrth y bont i weld mor syth ac araf ei lli yw'r Llyfni yma yn dilyn y gwaith wnaed ar droad y ganrif i sychu Llyn Nantlle Isaf a sythu cwrs yr afon. Yma mae Plas Dorothea, cartref Michael a Valerie Wyn Williams, perchnogion olaf y chwarel. South Dorothea neu Cornwall yw'r twll ar y dde wedi croesi'r bont gyda'r ynys o graig yn ei chanol.

Wedi cerdded dros y domen, mi ddowch at bentref Tal-y-sarn. Roedd tai cyntaf y pentref yn nes fyth at Dorothea, ond maent ar goll o dan y tomennydd bellach. Erbyn hyn, mi welwch rai tai hen iawn yma yn y pen agosaf i'r chwareli. Draw yng Nghloth Hall roedd cartref Gwilym R. Jones.

Llecyn hyfryd yw Clogwyn Melyn eto — gallwch edrych yn ôl dros y tir rydych eisoes wedi'i droedio. Awn i lawr at Hen Lôn — hon oedd y ffordd gyntaf o Ben-y-groes i fyny'r dyffryn. Mae'r llwybr i ffermdy hynafol Pant-du gyferbyn. Adeiladwyd Pant-du tua 1600-5 a gwelir arfbais William Bodfal o deulu Glynllifon uwch y lle tân er cof am ei briodas â Catherine Morgan, aeres Tal-y-mignedd Isaf. Daeth teulu'r Garnons drwy briodas i fyw yno yn ddiweddarach.

Wedi croesi'r caeau, dyma ni allan ar y ffordd newydd o Ben-y-groes i fyny'r dyffryn, ger hen dolldy Pant-du. Sylwch ar y defnydd celfydd o lechi o wahanol liwiau arno. Dôi glo a bwyd anifeiliaid ar y trenau llechi a deithiai'n ôl am Dal-y-sarn o Gaernarfon a rhaid oedd talu yma.

Arhoswch am sbel ar lan yr afon Llyfni.

"Ped awn i lannau Llyfni.
Llamu i'w chôl a wnawn
I dorri min hen hiraeth
Am hwyl rhyw gynnar nawn."

Gwilym R. Jones (Ymdrochi)

Chwiliwch am y blodau — crafanc y dŵr, gold y gors, blodyn y gôg, carpiog y gors a'r iris felen, llwyni hardd o fanadl ac eithin, a'r hesg yn y dŵr.

Rhaid i chwi ddringo i ben y bryn, Caer Engan, i fwynhau'r olygfa. Mae'n gaer naturiol gref, gydag afon fechan yn troi ar ei godre cyn uno ag afon Llyfni. Hen gaer o'r Oes Haearn fel Dinas Dinlle a Chraig y Dinas yw Caer Engan (llygriad o Cae-yr-hen-gaer). Fedrai'r un gelyn ddod yn agos heb iddo gael ei ganfod. Dychmygwch yr olygfa cyn agor y tyllau a chyn codi'r pentrefi gyda chors Taldrwst yn syth o'ch blaen wrth edrych i fyny'r dyffryn.

> *"Ysgleiniai teilsenni o fawn*
> *yng ngolau'r haul,*
> *ac yr oedd y llaid*
> *yn arogldarthu*
> *gerbron gynnau*
> *plu'r gweunydd.*
>
> *Bu yma fyrddiynau*
> *y lygaid*
> *yn craffu am emau*
> *o lugaeron ar y tyweirch.*
>
> *Rhodiasom Gors Taldrwst*
> *ar ddidrwst ddeudroed."*

Gwilym R. Jones (Cors Taldrwst)

Wedi cyrraedd yn ôl i bentref Llanllyfni, beth am alw i weld eglwys Sant Rhedyw? Dywedir bod Credyw yn frawd i Tegai, Llechid a Thrillo ac iddo sefydlu eglwys yma yn y 4edd ganrif. Yn ôl traddodiad, roedd bedd Rhedyw y tu cefn i'r allor a delw ohono ar y talcen tu allan. Cafnwyd carreg ar ben camfa gyferbyn â'r delw gan liniau'r addolwyr wrth ddod i'r eglwys. Gwelir y garreg hon ym mur y fynwent gyda'r geiriau "Y garreg a lefa o'r mur" yn gerfiedig arni.

"A daw hedd dwys diwedd dydd
I lennyrch y fro lonydd"
Mathonwy Hughes (Dyffryn Fy Mreuddwyd)

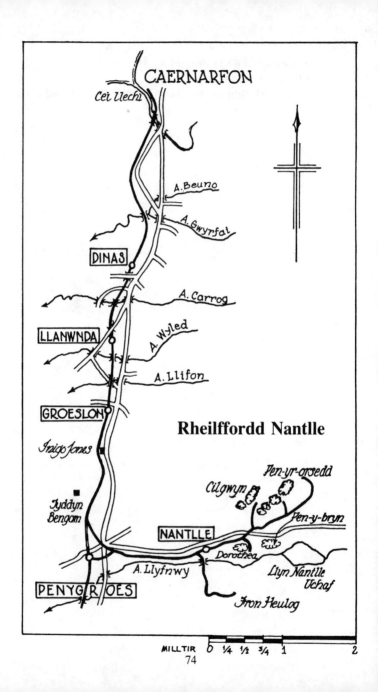

CAERNARFON

Cei Llechi

A.Beuno

A.Gwyrfai

DINAS

A.Carrog

LLANWNDA

A.Wyled

A.Llifon

GROESLON

Rheilffordd Nantlle

Inigo Jones

Pen-yr-orsedd

Cilgwyn

Tyddyn Bengam

Pen-y-bryn

NANTLLE

Dorothea

Llyn Nantlle Uchaf

A.Llyfnwy

PENYGROES

Fron Heulog

MILLTIR   0   ¼ ½ ¾   1   2

Tal-y-sarn — y ffordd ar safle'r hen reilffordd.

Y Gloddfa Glai.

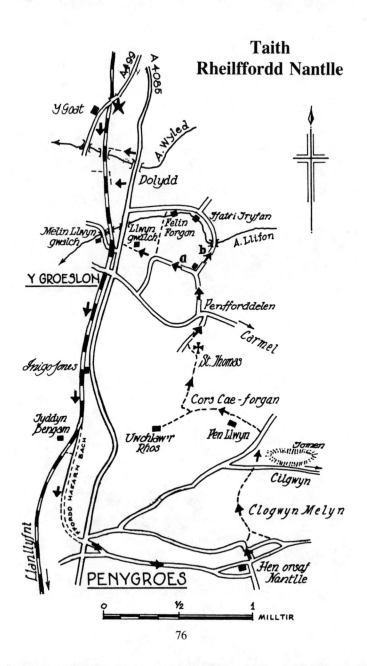

Taith
Rheilffordd Nantlle

Y Goat

A 499

A 4085

A. Wyled

Dolydd

Melin Llwyn gwalch

Llwyn gwalch

Felin Forgan

Ffatri Tryfan

A. Llifon

b

a

Y GROESLON

Penfforddelen

Carmel

✝ St. Thomas

Inigo Jones

Cors Cae-forgan

Tyddyn Bengam

Unchlaw'r Rhos

Pen Llwyn

Tomen

Cilgwyn

Clogwyn Melyn

FFORDD HAFARN BACH

Llanllyfni

PENYGROES

Hen orsaf Nantlle

0   ½   1
MILLTIR

10.   RHEILFFORDD NANTLLE

Cyfarwyddiadau

Hyd: 8½m.
Ansawdd: Ffyrdd, llwybrau mynydd a thrwy gaeau.

Cychwyn ar Lôn Eifion ger tafarn y *Goat*, Llanwnda a chadw
arni drwy'r Groeslon. Pan fo wal Glynllifon yn ymbellhau
gyferbyn â Thyddyn Bengam ar y dde, ewch i'r chwith dros y
gamfa ac ar draws y cae at yr hen ffordd haearn bach — daw'r
llwybr allan i Ffordd Haearn Bach — ar hyd hon, yna croesi i Lôn
Pitar — croesi'r brifffordd — heibio Banc y Midland i Ffordd y Sir
— ymlaen heibio Swyddfa'r Heddlu — ac ar yr hen ffordd yr ochr
chwith i'r ffordd bresennol — ymlaen trwy bentref Tal-y-sarn,
mae llai o drafnidiaeth nag ar y ffordd newydd sydd ar lwybr yr
hen rheilffordd — at yr hen orsaf — i fyny heibio'r eglwys — ar y
dde ar ben yr allt — cyntaf ar y chwith i fynd i fyny Clogwyn
Melyn neu ar y chwith ym mhen yr allt — ac i fyny'r cyntaf ar y
dde. Dilyn y llwybr isaf ar Glogwyn Melyn gan anelu at odre'r
domen lechi ar ffordd Cilgwyn. Croesi'r ffordd wrth waelod y
domen — llwybr at ffordd Carmel — i lawr drwy'r giât — heibio
Penllwyn — syth i lawr y cae hir — troi i'r dde yn y gwaelod wedi
croesi'r bont — drwy'r gors at Eglwys Sant Thomas — ffordd ar y
dde o tan yr eglwys — i lawr rai camau i'r ffordd, i'r dde uwchben
Pen-ffordd-elen. Dewis wedyn a) i lawr drwy Lwyn Gwalch at y
brifffordd — dringo at Lôn Eifion ger y bont ac yn ôl at y *Goat*.
b) i'r dde wrth Glan-gors, i lawr i'r chwith wrth Faes Tryfan —
allan i'r brifffordd ger Brynrodyn — i'r dde ar y brifffordd — yna'r
llwybr cyntaf ar y chwith neu'r ail ac yn ôl ar Lôn Eifion.

Y Daith

Taith ar "lein bach" arall yr ardal ac yna ar draws gwlad ac yn
ôl i'r man cychwyn yw hon. Ffordd haearn arall a godwyd i

gludo'r llechi o chwareli gwaelod y dyffryn i Gaernarfon oedd hi. Fel y dywedwyd eisoes, ar droliau i'r Foryd yr eid â'r llechi ar y dechrau, ffordd drafferthus, araf, a gwastrafflyd gan y torrid nifer o'r llechi ar y daith dros y ffyrdd caregog.

"It is to be regretted that the proprietors of these numerous Slate Quarries, do not unite together, and form a good Iron Rail Road, or tram-way, to Caernarvon, . . . we cannot help lamenting another circumstance that so many accidents, by the sudden explosions of Charges of Gunpowder, the falling of stones, rubbish, and fragments of rock etc. and breaking of ropes, whereby many of the workmen are lamed and maimed, and others lose their sight, and thus become chargable to different Parishes. It would be desirable therefore to have a fund for the relief of these poor sufferers; the Proprietors might easily establish a Club, or Friendly Society, towards which they should contribute liberally themselves, and also make such an arrangement, that a small sum should be alloted, either weekly or monthly, from the wages of the Labourers, towards their support when incapacitated," Tourists Guide through the County of Caernarvon 1821.
Rev. Peter Bailey Williams.

Daeth y ffordd haearn, a sefydlwyd cymdeithasau lle talai'r chwarelwyr arian yn fisol er mwyn cael triniaeth feddygol iddynt hwy a'u teuluoedd. Agorwyd y ffordd haearn ym 1828. Bu'n cario teithwyr am gyfnod byr, 1856-65, ond cario llechi oedd ei hamcan. Yn gynnar yn ugeiniau'r ganrif, cyfarfu cynrychiolwyr y cwmnïau mwyaf: Cilgwyn, Pen-y-bryn, Tal-y-sarn a Hafodlas, i drafod sefydlu'r *Nantlle Railway*. Amcangyfrif o'r gost o'i chodi oedd £20,000.

Wedi darllen *A Packet to Ireland*, sy'n sôn am y bwriad i godi ffordd haearn i Borthdinllaen a gwneud y porthladd hwnnw yn fan cychwyn i'r fordaith i Ddulyn ac nid Caergybi, diddorol yw deall i gynlluniau gael eu gwneud i godi ffordd haearn o Ddyffryn

Nantlle i lawr i Bontllyfni, *The Llyfni Railway and Harbour*, a gwneud harbwr — Port Newborough — ym Mhontllyfni. Yn amlwg, ddaeth dim o'r cynllun hwn chwaith!

Daeth oes y chwareli i ben, syrthiodd bwyell Beeching, a diflannodd y rheilffyrdd. Yn ei lle, codwyd ffordd i gario graean o Graeanog i Lanwnda ac yna, ymlaen i Lanberis pan adeiladwyd Gorsaf Drydan Dinorwig. Bellach mae'n rhan o Lôn Eifion, sy'n rhedeg o Gaernarfon i Fryncir.

Gyda hyn'na o gefndir rydym yn barod i fynd. Peidiwch â mynd i'r *Goat* cyn cychwyn, mae cystal bwyd i'w gael yno, fel na cherddwch fawr am sbel wedyn! Mae'r daith o'r fan hyn i Ben-y-groes yn un dawel braf.

Ewch dros afon Wyled yn fuan ar ôl cychwyn ac yna Llifon. Ar lan Llifon islaw mae hen felin Llwyn-gwalch, bellach yn dŷ chwaethus. Heibio'r Groeslon ac at waith llechi Inigo Jones. Byddai'n werth taro i mewn yma i weld yr amrywiol ddefnydd o lechen a wnânt.

Bydd wal Glynllifon ar y dde am sbel, ac yna bydd yn ymbellhau wrth Tyddyn Bengam. Yma yr oedd Junction Tyddyn Bengam lle'r âi'r lein bach i'r chwith am y dyffryn a gadael i'r lein fawr fynd yn ei blaen am Afon-wen.

Cyn gadael y rhan hon o'r daith, a sylwoch chi ar y tyfiant o boptu'r llwybr? Dyma le delfrydol i astudio blodau gwyllt gan fod dwy neu dair llath o dir bob ochr heb ei drin o gwbl. Does neb yn torri'r coed na chwistrellu chwyn-laddwyr yma, nac anifail yn pori a chaiff pob planhigyn gyfle i dyfu'n ddilestair. Fentra i ddim dechrau rhestru'r blodau, dim ond dweud i mi gyfri dros hanner cant o wahanol rai mewn llai na hanner awr yr haf diwethaf! Bydd rhesi o helyglys hardd fel milwyr yn eu lifrai piws, llin y llyffant, malws, triaglog coch a bysedd y cŵn yn un gybolfa o liw. Lle da i weld adar y coed hefyd, gyda digon o lwyni wrth ochr y llwybr a choed Glynllifon dros y wal. Mae sgrech y coed, cnocell y coed, sguthanod a thylluanod yn gyffredin yma.

Mi welwch olion y wal a'r ffens lle rhedai'r ffordd haearn wrth ddynesu at Ben-y-groes. Âi'r llwybr drwy ganol y pentref — lle bach iawn oedd bryd hynny — gan groesi'r briffordd, ar hyd ochr

Ffordd y Sir ac ymlaen heibio tolldy Pant-du am Dal-y-sarn. Maes chwarae i blant y pentref sydd heddiw lle bu'r rhesi o wagenni trymlwythog, ac addaswyd yr hen orsaf yn ganolfan gymdeithasol. Tynnid y wagenni gan geffylau ar lein gul o gyfeiriad Pen-yr-orsedd nes cyrraedd stesion Nantlle ac yna trosglwyddwyd y llwythi i'r wagenni mwy.

Gallwch ddilyn yr hen lwybr draw heibio'r cwt band i bendraw'r pentref ac yna i fyny Cavour Street (fel yn Nhaith 9) ac am Glogwyn Melyn.

Wedi croesi'r ffordd am Garmel a cherdded i lawr y ddau gae hir, mi ddowch i Gors Cae-forgan a'i siglenni sugnog. Lawer tro y bûm yn crwydro hon yn blentyn, weithiau i chwilio am logiau o fwyar duon meddal melys; dro arall i wylio'r adar. Gallaf glywed cri gylfinir yn codi uwch y brwyn yn awr, ymysgwyd araf adenydd y crëyr, sguthan yn sgrytian yn y canghennau a deunod y gog o lwyn i lwyn. Gwelaf y gornchwiglen a'i chap ysgol du a'r wenoliaid yn ymosod ar y brwyn.

Ewch draw am eglwys Sant Thomas, mewn safle dangnef-eddus yn y clwstwr coed.

Wedi troi i lawr heibio Pen-ffordd-elen, mi awn ar ffordd wledig yr ochr uchaf i'r Groeslon. Roedd tair melin yn agos i'w gilydd yma ar afon Llifon: melinau blawd Llwyn-gwalch a Melin Forgan, a melin Wlân Tryfan, neu Ffatri Tryfan fel y'i gelwid. Nyddid y gwlân yn edafedd adref gan y merched drwy'r gaeaf ac yna eid ac ef i'r ffatri i'w wneud yn frethyn. Gwelir yr olwyn ddŵr ar dalcen Felin Forgan, ond ni fuasai dieithryn yn dychmygu heddiw mai melinau oedd y ddwy arall. Mi groeswch Llifon ger Hafod-boeth ac yn uwch i fyny'r afon yr oedd un o fy hoff gyrchfannau yn blentyn, Nant yr Hafod. Sgota, hel cnau, chwarae cowbois ac Indians, nefoedd o le!

Bydd gwell blas ar fwyd y *Goat* wedi'r daith.

11. PEDOL MOEL EILIO

Cyfarwyddiadau

Hyd: A - 8m; B - 10m.
Ansawdd: Llwybrau mynydd, llawer o ddringo.

A. Cychwyn wrth chwarel Cefn Du ar Fwlch-y-groes, —
gallwch fynd yno efo car o'r Waunfawr, neu gerdded o Lanberis.
Mae llwybr hawdd ei ddilyn, ger y giât yn syth i fyny am gopa
Moel Eilio, yna ymlaen i'r Foel-gron a'r Foel-goch. Ewch i lawr y
Foel-goch ac mi ddowch ar draws y llwybr o ben Llyn Cwellyn
dros Fwlch Maes-gwm am Lanberis. Dilynwch hwn i lawr Cwm
Maes-gwm at lwybr trol ddaw â chi heibio ceg Cwm Dwythwch ac
yn ôl i Fwlch-y-groes.
B. O Fwlch Maes-gwm, dal ymlaen i lawr i gwrdd â llwybr y
Snowdon Ranger — i fyny hwn at Fwlch Cwm Brwynog — i'r
chwith i lawr Cwm Brwynog — at y ffordd — i'r chwith wrth hen
gapel Cwm Brwynog ac at yr un llwybr â thaith A ger yr afon
Hwch.
C. Dros Foel Cynghorion at Fwlch Cwm Brwynog.
Ch. At Foel Cynghorion ac i lawr y grib ogleddol at Helfa —
dilyn y llwybr at yr hen gapel. (**Gofal** — i'r profiadol yn unig gan
fod y grib yma yn serth.)

Y Daith

Mae gormod o gerddwyr ar yr Wyddfa erbyn hyn, felly mae'n
well gen i yn aml fynd ar y mynyddoedd eraill sydd ag ychydig llai
o drafnidiaeth ar hyd eu llwybrau. Beth am dreulio'r dydd yma
wrth odre, ac yng ngŵydd yr Wyddfa: mae'n daith ddiddorol
dros ben.
Rhyw bowlen o fynydd yw Moel Eilio a hawdd dringo ei
lechwedd gweiriog, er bod rhai creigiau serth arno. Mae yma res
o dyllau ar ochr Betws Garmon: olion hen weithfeydd manganïs

Pedol Moel Eilio

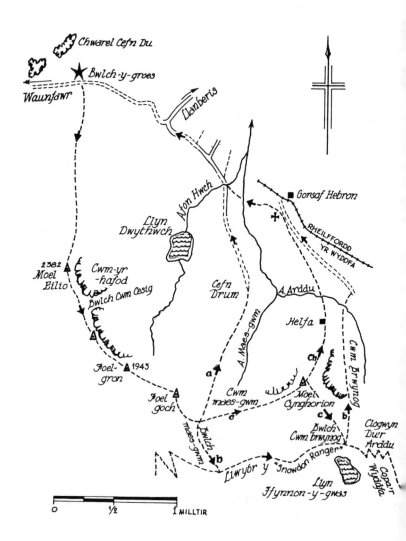

ac olion chwarel lechi ger y Garreg-fawr. Mae chwarel Cefn-du yn rhan o'r clwstwr rhwng Cwm-y-glo a Llanberis. Sylwch bod chwareli Dinorwig gyferbyn ar fynydd Elidir. Mae trafodaethau ar droed i sefydlu anferth o atynfa dwristiaid ar safle chwareli Glynrhonwy.

Wedi cyrraedd copa Moel Eilio cewch olwg ar ochr dywyll Mynydd Mawr, Cwm-du a Chastell Cidwm, Llyn Cwellyn ac afon Gwyrfai'n troelli tua'r Waunfawr, y trên bach yn pwffian ar yr Wyddfa a'r creithiau anferth ar Elidir.

O'r copa, dilynwch y llwybr tua'r Foel-gron. Byddwch yn mynd i fyny ac i lawr o gopa i fwlch ar yn ail am sbel cyn troi am i lawr i gyfeiriad Llanberis. Mae yna ysgwydd eithaf eang o dir yma rhwng y llechwedd serth at y llynnoedd a llethrau uchaf y mynyddoedd, yr Alp — effaith Oes yr Iâ yn ffurfio'r dyffrynnoedd siâp U.

O ganlyniad, rhuthra'r afonydd i lawr rhaeadrau cyn cyrraedd llawr y dyffryn. Ewch i weld y rhaeadr yn y Ceunant Mawr ryw dro ar bob cyfrif.

Os ewch y ffordd hwyaf, mi ddilynwch afon Arddu i lawr Cwm Brwynog, gyda llwybr yr Wyddfa o Lanberis a'r ffordd haearn gyferbyn â chi.

Fel hyn y canodd R. Bryn Williams i gapel Gwaun-cwmbrwynog,

Ni ddaw heno ond wylo bach
afon Swch
i gyfarch dy ffenestri
a wybu unwaith arllwys y mawl
i gwpan y cwm;
ac ni bydd wrth dy allor
ond arogldarth y grug
a chwerthin awel ifanc
lle bu'r gweddïo plaen.

Ym mhen ucha'r cwm y mae'r graig enwog, Clogwyn Du'r Arddu, lle heidia'r dringwyr fel locustiaid.

Mi welwch lawr y dyffryn wrth gerdded draw: Llanberis rhwng y ddau lyn a siediau Dinorwig yn awr yn Amgueddfa Lechi. Y to llechi mwyaf a welwch fydd Oriel Eryri a godwyd gyda chymorth ariannol y C.E.G.B. fel iawn am yr anhwylustod dros gyfnod codi'r orsaf drydan. Welwch chi geg y twnnel sy'n arwain i grombil Elidir? Ac yn gwylio holl ymdrechion diweddar dyn, saif castell Dolbadarn a welodd sawl tro ar fyd er y dyddiau pan gadwodd Llywelyn ap Gruffydd ei frawd, Owain, yn garcharor yma am ugain mlynedd wedi brwydr Moel Derwin.

Cofiwn mai i lawr acw tua Caernarfon y trig Dafydd Iwan, tywysog y frwydr ddi-drais, a ganodd fel hyn adeg cofio Cilmeri:

> Bu'r Cymro yn cerdded y llwybrau cynefin drwy'r oesau
> Yn crafu bywoliaeth ddi-gysur o gaenen o bridd,
> Yn gwarchod ei fywyd wrth warchod y noethlymun erwau.
> Wrth ganlyn yr arad a dilyn yr og ar y ffridd.
>
> Dringodd y creigiau a holltodd y llechfaen yn gywrain.
> Turiodd i grombil y ddaear i geibio'r glo
> Gwnaeth gyfoeth i eraill, a gwelodd gyfeillion yn gelain
> A chyfoeth hen Ffydd o hen eiriau oedd ei gyfoeth o.
> Ond cerddwn ymlaen. . ."

Gallwn weld hyn oll o'r fan hyn. Gwyrth yw ein bod ni "yma o hyd" yntê? A thra ein bod ni yma yng ngŵydd Llanberis a'r Wyddfa, cofiwn eiriau "y dewraf o'n hawduron", T. Rowland Hughes.

> O'r Gongl
>
> A ydi'r Gwanwyn yn crwydro'r gweunydd
> A galw'i flodau i lannau'r lonydd?
>
> A'r clogwyn a'i nerth yn wyllt brydferthwch
> A'r aer yn win hyd eithin Cwm Dwythwch?

12. MYNYDD MAWR

Cyfarwyddiadau

Hyd: A - 8m; B - 10m.
Ansawdd: Teithiau gweddol galed — A yn dringo o 400′ i 2290′.
B, heb ddringo gymaint ond yn 10 milltir ar dir garw a llwybrau.

A. Cychwyn o bentref Nantlle i fyny'r ffordd i Ddrws-y-coed —
ar y chwith am ffermdy Drws-y-coed Isaf, — llwybr llydan i
fyny'r llethr at y goedwig — dilyn llwybr ar letraws drwy'r coed
— at Planwydd — i'r ffordd — chwith heibio Llyn Cwellyn —
heibio Castell Cidwm. (Gellir mynd wrth ochr y llyn — heibio'r
chwarel — gyda chaniatâd y perchennog.) — a) yna'r llwybr
cyntaf ar y chwith — dringo'n serth drwy'r coed i waelod
Cwm-du — dilyn llwybr defaid at gongl wal y mynydd — ar
draws y llethr grugog ac at y llwybr sy'n rhedeg uwchben Llyn
Ffynhonnau.
b) ymlaen at lwybr y *Welsh Highland* ac i fyny'r llwybr nesaf ar y
chwith — fforch i'r chwith gan ddod at lwybr a) wrth wal y
mynydd, ymlaen ar hwn i'r Fron — troi i lawr ar y chwith —
chwith eto — wrth y giât am Pen-yr-orsedd ar y chwith i'r llwybr
— dilyn hwn i lawr yn ôl i Nantlle.
B. Fel A at fin y goedwig ar lethr Foel Rudd — i'r chwith wrth
ochr y coed ac anelu am gopa Moel Rudd — cadw ar y gwastad,
anelu am Graig y Bera ac yna i fyny am gopa Mynydd Mawr
(byddai raid mynd i lawr ac i fyny Cwm Planwydd mewn llinell
syth o Foel Rudd i gopa Mynydd Mawr). Byddwch ofalus
uwchben dibyn Craig y Bera. Yna yn syth i lawr gan anelu am
Lyn Ffynhonnau ac ymlaen fel A.

Y Daith

Mae 'Mawr' yn enw addas i'r mynydd hwn. Er nad yw mor
uchel â hynny — 2290′ — mae ei arwynebedd yn eang. Mynydd

O Gwmpas Mynydd Mawr

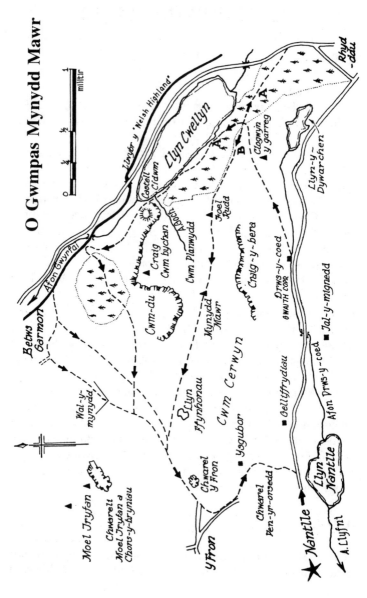

Grug y'i gelwir yn lleol, mi ddeallwch pam wrth ei gerdded. Gwelir nifer o lynnoedd wrth ei amgylchynu neu wrth edrych o'r copa, ac efallai y gwelwch y tylwyth teg, gan fod yr ardal yma'n gyforiog o straeon amdanynt. Darllenwch ysgrif T.H. Parry-Williams, 'Tri Llyn', *O'r Pedwar Gwynt*, cyn mynd.

Bu'r Parchedig Peter Bailey Williams y ffordd yma hefyd, a dyma beth oedd ganddo i'w ddweud yn ei lyfr *Tourists Guide through the County of Caernarfon 1821.*

> *"The next expedition we shall recommend is a visit to the Llanllyfni Slate Quarries and the Nantlle (or as they were formerly called the Bala Deulyn) Lakes, then proceed by Drws y Coed, to the Beddgelert road, and return by Quellyn Lake and Bettws Village to Caernarvon. Part of this route, particularly from the Quarries to the main road, will not admit of a four-wheeled Carriage. The whole of this circuit, round the huge Mynydd-mawr, will make a distance of probably about one and twenty miles . . . and he will soon perceive, when he enters this little vale, that the scenery here, unfolds its beauty gradually as the traveller advances, until at last it displays itself in all its grandeur and magnificence. This Defile is bounded on the South and East by mountains of considerable height and magnitude, which assume a variety of shapes and characters as we proceed."*

Dyw'r lle ddim cweit mor wyllt heddiw! Beth am inni fynd o dow i dow, o stori i stori? Mi gychwynnwn wrth lyn Nantlle Uchaf. Dychmygwch y dyffryn filoedd ar filoedd o flynyddoedd yn ôl pan gyrhaeddai llyn o Dal-y-mignedd i lawr at odre Caer Engan. Dros amser, gollyngwyd mwd gan yr afonydd nes ffurfio dau lyn.

Wedi mynd drwy'r pentref, down at ffermdy Gelli-ffrydiau ac ymhellach ymlaen ar lawr y dyffryn, mi welwn Dal-y-mignedd Isaf. Mae stori werin yn dweud i fab y Gelli syrthio mewn cariad â merch Tal-y-mignedd ond gwrthodai ei thad iddynt briodi. Wedi alaru ar swnian y mab, rhoddodd gŵr Tal-y-mignedd amod iddo: mi gâi briodi ei ferch os arhosai allan drwy'r nos yn noethlymun ar y ffridd, a hynny ym mis Ionawr. Tybiai y byddai arno ofn mentro neu y trengai yn yr ymdrech. Ond trawodd y mab ar syniad campus: aeth â pholyn hir a gordd gydag ef i'r ffridd. Cadwodd ei hun rhag rhewi drwy daro'r polyn â'r ordd, ac yna gafael am y pen cynnes bob yn ail drwy'r nos. Llwyddodd, ac mi briododd y ferch. Gelwir y ffridd uwch y Gelli yn Ros y Pawl — hen enw ar bolyn yw pawl.

Mae hen dollborth y Gelli ychydig ymhellach ar y ffordd a rhwng hwn a'r llyn yr oedd Telyrnia — yn ôl yr hanes, cartref Marged Uch Ifan cyn iddi symud i gyffiniau Llyn Padarn. Fu erioed wraig debyg i hon. Byddai hi'n siwr o setlo El Bandito yn y cylch wreslo!

Mae gan Farged fwyn uch Ifan
Grafanc fawr a chrafanc fechan,
Un i dynnu'r cŵn o'r gongol
A'r llall i dorri esgyrn pobol.

Cawn olwg wych ar y mynyddoedd wrth fynd yn ein blaenau — ochr y Garn, a Chlogwyn Barcut, Clogwyn y Garreg yn y canol, a'r Wyddfa tu cefn, ac ar y chwith ochr serth y Mynydd Mawr. All geiriau ddim gwneud cyfiawnhad â'r olygfa, all hyd yn oed ffotograff ddim gwneud hynny mewn gwirionedd, gan fod y lliwiau a'r cysgodion yn newid o awr i awr.

Gyferbyn â chapel Drws-y-coed mae olion yr hen gapel a'r graig fawr a drybowndiodd i lawr Clogwyn Barcut a thrwy'r capel ym 1892.

Yna down at olion y gwaith copr: roedd nifer o agoriadau yma — ar Mynydd Mawr ac ar Glogwyn Barcut. Wrth ddringo'r llwybr at y coed daw Llyn y Dywarchen i'r golwg a hen lwybr y mulod a gariai'r copr am Gaernarfon. Codwyd argae yma, er mwyn cael pwysedd dŵr yn y gwaith copr islaw. Bu Gerallt Gymro heibio, a Thomas Pennant!

". . . troais ar y ddehau, i ymweled â Llyn y Dywarchen, yr hwn sydd er's hir amseroedd wedi cael ei hynodi gan ysgrifell eithafol Giraldus, am ei 'insula erratica', ei ynys grwydrol, fel y geilw ef hi. Saif y llyn bychan hwn yng nghanol mawnog; ac ar y pryd arddangosai y rhyfeddod a gofnodir gan ein hanesydd rhamantus. Yr oedd arno ynys nofiadwy, o ffurf afreolaidd, ac oddeutu naw llath o hyd. Ymddengys nad yw ond darn o'r fawnog, wedi ei ryddhau odditanodd gan y dwfr, ac yn cael ei gadw gyda'i gilydd gan gymhlethiad y gwreiddiau a ffurfient y math yma o ddaear.''

Gwelir dau dyddyn o boptu'r llyn — Drws-y-coed Uchaf a Llwyn y Forwyn. Syrthiodd Einyr, mab y Betws, mewn cariad ag un o'r tylwyth teg a welodd yn dawnsio ger y llyn. Cipiodd hi ymaith a phriodwyd hwy wedi iddo ddarganfod ei henw a derbyn amod ei thad na fyddai iddo byth ei tharo â haearn. Buont fyw yn hapus am flynyddoedd, llewyrchai'r fferm a chawsant ddau o blant. Ond wrth geisio dal merlen, trawodd ei wraig â haearn y tennyn ar ddamwain. Dychwelodd hithau i fyd hud a lledrith dan y llyn. Ond cymaint oedd ei chariad at ei gŵr a'i phlant nes iddi ddod i eistedd ar dywarchen ar y llyn o bryd i'w gilydd i sgwrsio â hwy. Ceir stori debyg yn gysylltiedig â llynnoedd eraill megis Llyn y Fan.

Awn ymlaen at y stori nesaf. Dywedir i Gidwm, mab Macsen Wledig ac Elen Luyddawg ymguddio ar y graig uwch Llyn Cwellyn gyda'r bwriad o ladd ei frawd fel y deuai heibio gyda gosgordd o filwyr. Pan gododd i anelu'r saeth, cafodd ei weld gan un o'r milwyr a waeddodd "Llech yr olaf''. Castell Cidwm yw enw'r graig a'r gwesty heddiw, ond roedd tŷ o'r enw Llech yr Olaf gerllaw. Daeth y graig yn gyrchfan boblogaidd i ddringwyr, gyda dringfeydd anodd iawn arni. Wrth edrych o'r ochr wrth afon Goch, gwelir siâp wyneb ar y graig.

Wedi dringo drwy Gwm-du ac i lawr at Lyn y Ffynhonnau, down at gyrchfan arall y bobol bach. Aeth gwas y Gelli Ffrydiau i fugeilio'r defaid ar y Mynydd Mawr. Pan gyrhaeddodd Lyn

Ffynhonnau gwelodd dwr o'r tylwyth teg yn dawnsio'n nwyfus. Aeth yn nes atynt, a chafodd ei hudo i'r cylch. Bu'r gwas a'i gi yn dawnsio'n ddi-baid am dri diwrnod. Yn ffodus iddo gwelwyd hwy gan ddewin a frysiodd yno a rhoi ei ffon griafol i mewn i'r cylch. Ni feiddiai'r bobl bach gyffwrdd ynddi, ond cydiodd y gwas ynddi a chafodd ei dynnu i ddiogelwch.

Taith B

Os awn i fyny wrth ymyl y coed, mi gyrhaeddwn y Foel Rudd a fyddwn ni fawr o dro wedyn yn dod uwchben Craig y Bera. Rhaid wrth ben reit dda i edrych i lawr yma — mae Drws-y-coed ac olion y gwaith copr yn union oddi tanoch ond mae'n werth mentro i gael golwg arnynt. Cwm Cerwyn yw'r pantle ar ochr dde-orllewinol y mynydd. Dywedir i droseddwyr gael eu cludo i fyny yma a'u gollwng i lawr y graig mewn casgenni yn nyddiau'r Rhufeiniaid. Arswydus, yntê?

Trowch i fyny am y copa eang â nifer o dwmpathau cerrig, a mwynhewch yr olygfa. Chwiliwch am y llynnoedd — Cwellyn, y Dywarchen, y Gadair, Nantlle. Mae'r Wyddfa yn ei holl ysblander ar un ochr; Mynydd Cilgwyn, Moeltryfan, Moel Eilio a'r gwastatir tua'r môr, a Môn ar yr ochr arall. Gwelwch hefyd fynyddoedd Dyffryn Nantlle o'r Garn i Gwm Dulyn a golwg ar y cribau. Mi gawn fynd yno yn y man.

Buom i fyny yma fel teulu yr haf diwethaf, roedd hi mor gynnes fel y gorweddais ar y copa am hydion, yn mwynhau gwres yr haul, a holi'r plant am enwau'r mynyddoedd a'r llynnoedd a welem. Does dim gwell nag aros ar yr uchelfannau am sbel go hir — paned a brechdannau, a sawru'r olygfa.

Byddwch wedi cerdded digon drwy rug ar y daith, ac efallai wedi gweld rhai blodau eraill. Bydd lobelia'r dŵr yn tyfu yn nŵr bas Llyn Ffynhonnau, briweg y cerrig, plu'r gweunydd, llafn y bladur o gwmpas y llyn a chraith unnos ymhobman.

Bu'r Brodyr Francis a'u cyfeilydd, Bob Owen, yn diddori cynulleidfaoedd ledled Cymru gyda'u canu swynol yn y 30au. Yma roedd eu cynefin, Drws-y-coed a'r Mynydd Mawr.

"Oesol yw lliw ei borffor wallt,
Minnau a'm gwallt yn gwynnu;
Disglair ei darian ef i'r drin,
Minnau, ŵr crîn, yn crynu."

G.W. Francis (Y Mynydd Mawr a Minnau)

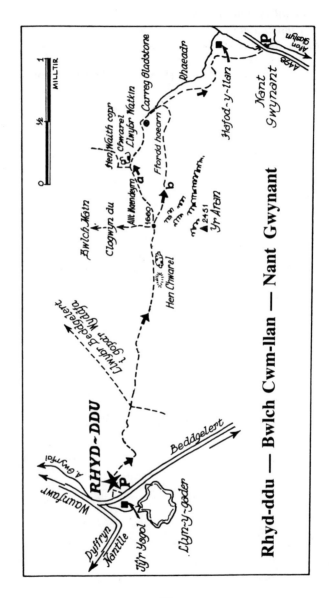

Rhyd-ddu — Bwlch Cwm-llan — Nant Gwynant

13. DROS FWLCH CWM-LLAN

Cyfarwyddiadau

Hyd: 5m.
Ansawdd: Llwybr mynydd, hawdd ei ddilyn, dringo 1000' o Ryd
Ddu i'r bwlch, i lawr 1400' wedyn i Nant Gwynant.

Cychwyn o Faes Parcio Rhyd-ddu ar lwybr yr Wyddfa — wedi
pasio'r chwarel gwelwch fforch — i'r chwith, mae llwybr yr
Wyddfa — ewch chi i'r dde — cadw ar y llwybr hwn i fyny at y
chwarel ar ben y bwlch — gofal wrth y twll agored — yna cadwch
i'r chwith pan fforcha'r llwybr. Dewis wedyn a) ar y dde dros y
gamfa — cadw wrth droed y domen, heibio'r llyn — camfa wrth y
wal ar y bwlch.
b) i fyny'r domen — llwybr ar ben y domen — yna cadw wrth
droed y domen i osgoi'r tir gwlyb — dod at lwybr Allt
Maenderyn — mynd i lawr hwn. Wedyn, anelu at y tomennydd
llechi yn y gwaelod — dewis eto a) croesi at yr adfeilion ac ar
lwybr Watkin i lawr. b) cadw i ochr dde y cwm ar hen lwybr y
ffordd haearn i lawr allt serth — ymuno â llwybr Watkin wrth
adfail arall, Plas Cwm y Llan. Dilyn llwybr Watkin i lawr i Nant
Gwynant.

Y Daith

Da o beth fyddai trefnu i wneud y daith hon mewn cwmni gan
ofalu bod car yn nau ben y daith. Neu gallech fanteisio ar fysiau'r
Sherpa ym misoedd yr haf.

Dyma daith ddiddorol ar ddwy ochr i'r Wyddfa ac un weddol
ysgafn gan na fyddwch ddim uwch na 1660' ar y bwlch. Cawn
gyfle i fwynhau'r golygfeydd a gweld olion cloddio am drysorau'r
mynydd mewn oes a fu. Os ydych fel fi'n mynd â phlant ifanc ar y
mynyddoedd, mae teithiau fel hyn, heb ddringo gormod, yn rhoi
profiad da iddynt heb eu gorflino. Gofalwch bod ganddynt

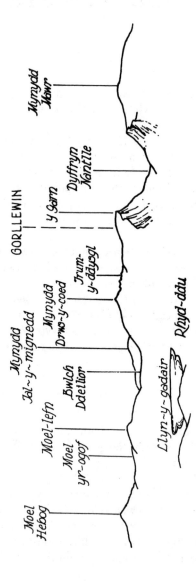

Moel Hebog

Moel yr-ogof

Moel-lefn

Mynydd Tal-y-mignedd

Bwlch Ddeilior

Mynydd Drwo-y-coed

Trum-y-ddysgl

GORLLEWIN

y Garn

Dyffryn Nantlle

Mynydd Mawr

Llyn-y-gadair

Rhyd-ddu

O'r Llwybr at y Bwlch

ddillad ac esgidiau priodol — rhaid iddynt arfer gwneud y peth iawn o'r tro cyntaf yr ânt ar fynydd.

Cyn cychwyn, neu ar ôl cyrraedd yn ôl, da o beth fyddai ymweld â Thŷ'r Ysgol. Byddai darllen peth o waith T.H. Parry-Williams o gymorth i ni werthfawrogi'r daith yn llawnach. Er na fu'n byw yma wedi cyfnod ei blentyndod, bu'n driw i'w gynefin gydol ei oes.

"Dyma'r Wyddfa a'i chriw; dyma lymder a moelni'r tir."

Wrth gymryd y camau cyntaf, byddwn eto ar lwybr hen rheilffordd y N.W.N.G. Yma roedd stesion Rhyd-ddu ers talwm. Wedi troi i fyny, mi welwch graig â hollt drwy'i chanol ychydig i'r dde, fel petai mellten wedi'i hollti. Daw llinellau T.H. Parry-Williams i'm cof wrth syllu arni.

"Fe ddaw crawc y gigfran o glogwyn y Pendist Mawr
Ar lepen yr Wyddfa pan gwffiwyf ag Angau Gawr."

Wedi gadael llwybr yr Wyddfa a chychwyn i fyny am y bwlch, mi welwch dir corsiog ar y dde, nifer o olion ffosydd, a phantiau lle bu tyllu am fawn mae'n debyg. Rhed nifer o ffrydiau i'n cyfarfod, rhai o Gwm Caregog, eraill i lawr llethrau'r Aran. Unant yn is i ffurfio afon Colwyn sydd ei hunan yn uno â'r Glaslyn wrth y bont droed ym Meddgelert. Clywn yma ddigon o "furmur dyfroedd", chwedl O.M. Edwards, a mwy na murmur pan ruthra'r rhaeadrau ewynnog wedi glawogydd. Difera dŵr drwy'r mawn i'r ffos ar ochr y llwybr. Wrth gerdded yn ddiweddar gwelem frwyn wedi rhewi'n batrymau gwych wrth y ffos, a rhai o'r ffrydiau lleiaf wedi rhewi'n gorn.

"Mae afon bach y Foty wedi marw" oedd sylw Begw yn stori "Nadolig y Cerdyn", Kate Roberts. Daeth ateb ei brawd bach wrth roi ei glust ar y rhew, "Na, mae ei chalon hi'n curo'n ddistaw bach." Gwych o ddisgrifiad, yntê?

Os trowch yn ôl yma, mi welwch "amlinell lom y moelni maith" o Foel Hebog draw at y Mynydd Mawr.

Cyn cyrraedd y bwlch, mi awn heibio gweddillion chwarel lechi. Mae dau dwll bychan wrth ochr y llwybr ac yna un mwy ychydig yn uwch, nifer o adfeilion siediau, inclêns, ac argae i gadw dŵr y llyn draw. Dyma le hwylus i gael paned neu damaid i'w fwyta. Y *Snowdon Quarry* oedd hon, cafodd ei gweithio rhwng 1870 ac 1882, gan gyflogi tua hanner cant o ddynion ym 1873.

Yn y man, down at wal gerrig ar draws ein llwybr — dyma fan uchaf ein taith, ac wrth edrych drosti mi welwch i lawr Cwm y Llan am Nant Gwynant. Oddi tanom mae olion chwarel lechi Hafod y Llan, y gweithfeydd copr ar lethrau Lliwedd, cwpan eang y cwm a'r defaid yn pori. Y tu draw mae llethrau y Cribau, Cerrig Cochion, Moel Meirch a Charnedd Melyn yn frith o greigiau bychain. Golygfa wych ond nid doeth aros yma'n hir gan fod gwynt cryf fel arfer yn chwipio dros y bwlch.

Ar y dde, mae pig yr Aran. Gallwch ei esgyn wrth gadw i'r dde i osgoi'r creigiau serthaf ac yna dilyn y grib i fyny. Ar y chwith, mae llwybr serth Allt Maenderyn. Â hwn a chwi dros Fwlch Maenderyn a Chlogwyn Du at lwybr y Rhyd-ddu ar y Llechog ac yna i fyny'r Bwlch Main i gopa'r Wyddfa. Byddwch ar y grib uwch Cwm Tregalan yma ac ar y chwith mae Cwm Caregog, gyda llyn bychan ynddo ac afon yn llifo tua'r llyn a welsoch wrth y chwarel. Neu gallech droi i lawr llethrau Llechog ac yn ôl i'r Rhyd-ddu. I rai profiadol yn unig y mae'r llwybrau hyn, gan fod rhannau creigiog arnynt. Os ewch i lawr at ochr chwith y cwm, gallwch groesi'r afon fechan yn rhwydd, mynd heibio'r barics ac at chwarel Hafod y Llan neu *South Snowdon.* Cafodd ei gweithio rhwng 1840-1880 gan gwmni o Lundain. Mae'n rhaid nad oedd fawr o ansawdd i'r llechi yma ac roedd tasg go anodd i'w cario nhw oddi yma hefyd. Llwybr yr hen ffordd haearn sydd ar ochr dde'r cwm, gyda nifer o inclêns i lawr Clogwyn Brith i gyrraedd Hafod y Llan, ac yna i lawr drwy Feddgelert i Borthmadog. Tynnid y wagen gan geffylau i lawr i Borthmadog yn ddyddiol ym 1878. Am gyfnod, Henry McKellar, cyfarwyddwr gwaith copr Sygun oedd rheolwr y chwarel.

Dyna ni wedi gweld dwy chwarel o boptu'r bwlch. Dychmygwch sut brofiad oedd gweithio oriau maith mewn lle mor anhygyrch. Hoffech chi fyw yn y barics drwy'r wythnos? Iawn yn yr haf, ond beth am y gaeaf rhewllyd?

Ewch i lawr llwybr Watkin sy'n weddol wastad yma ar lawr y cwm. Mae plât ar garreg Gladstone yn rhoi manylion yr achlysur pan fu'r prif-weinidog yma. Sylwch fel y llyfnhawyd ochr uchaf y graig gan y rhewlif, ac fel y rhwygwyd darnau'n rhydd o'r ochr isaf.

Ymhellach ymlaen daw'r ffordd haearn o'r ochr arall i'r cwm i'ch cyfarfod ger adfail cartref perchennog y chwarel, Plas Cwm-y-llan. Sylwch ar y ffens lechi, y pothelli ar y muriau lle taniwyd gynnau'r milwyr pan yn ymarfer adeg y rhyfel, a'r coed bythwyrdd wrth y tŷ yn edrych yn unig iawn yng nghanol y moelni.

Ymlaen â ni at y rhaeadr ac olion y gwaith copr. Mae'n braf oedi yma yn yr haf i olchi'r traed yn y pyllau wrth y rhaeadr. Sylwch hefyd fel y cafnwyd cwpanau yn y graig. Mae ôl llafur ar y llwybr o'r fan hon i lawr, bu criwiau'n ceisio atal yr erydu parhaus gan effaith y tywydd ac yn sgïl y miloedd sy'n troedio llwybrau'r Wyddfa.

Er mwyn arbed dringo yn rhy serth, mae'r llwybr yn ymbellhau oddi wrth yr afon, ac yna daw'n ôl ati drachefn, ond fe glywch sŵn y rhaeadrau o bell. Gwelwch afon Meirch yn hyrddio i lawr Clogwyn y Barcut gyferbyn.

Rhydd Coed Parc Hafod y Llan syniad i ni sut le oedd ar y llethrau cyn clirio'r coedwigoedd naturiol. Hynny yw, heblaw am y rhododendrons sy'n bla yn Nant Gwynant bellach. Gwelwn Lyn Gwynant oddi tanom a ffermdy Hafod y Llan fel y dyneswn at ben y daith. Efallai y clywch gŵn yn udo, mae pac o gŵn hela yma, a chlywir hwy weithiau'n hela'r llwynog ar y llethrau.

A dyna ni ar ein pennau yn Nant Gwynant, dyffryn arall y ffurfiwyd ei wedd gan rewlif. Llifai rhewlif llai i lawr Cwm-llan ac uno â'r lli mawr yma gan ffurfio dyffryn crog.

Mae'r maes parcio bron gyferbyn wrth bont Bethania a threfniant gobeithio i gyrraedd yn ôl i'r Rhyd-ddu wedi profi peth o'r hud a deimlai T.H. Parry-Williams.

Ymwasgai henffurf y mynyddoedd hyn
Nes mynd o'u moelni i mewn i'm hanfod i.

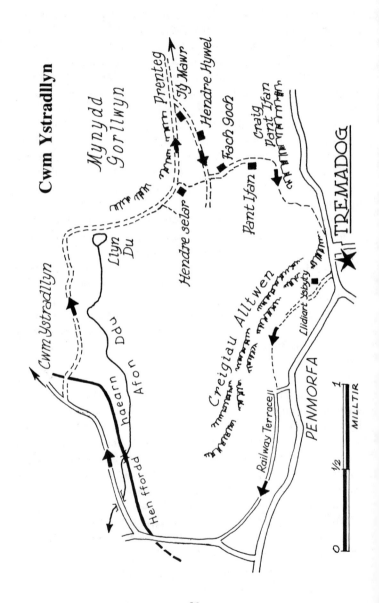

Cwm Ystradllyn

Mynydd Gorllwyn

Llyn Du

Cwm Ystradllyn

Afon Haearn Ddu

Hen ffordd

Hendre selar

Cwm Prenteg

Tŷ Mawr

Hendre Hywel

Fach goch

Pant Ifan

Craig Pant Ifan

Creigiau Alltwen

Railway Terrace

Lidiart ysbyty

PENMORFA

TREMADOG

0   ½   1

MILLTIR

14. CWM YSTRADLLYN

Cyfarwyddiadau

Hyd: 8m
Ansawdd: Ffyrdd gwledig, llwybrau.

Cychwyn o sgwâr Tremadog am Benmorfa — i'r dde heibio'r
ysgol — syth ymlaen drwy'r giât i'r llwybr llydan rhwng dwy wal
— heibio Railway Terrace — syth ymlaen — i'r dde yn y ffordd
— i'r dde eto wrth Carreg Frech — i'r dde eto, a dilyn arwydd
Cwm Ystradllyn — i'r dde ar ffordd Pren-teg — cadw ar y ffordd
heibio Llyn Du, dros y bwlch, i lawr allt serth — dde yn siarp cyn
cyrraedd giât wen — Tŷ Mawr a Hendre Hywel oddi tanoch —
heibio Fach Goch — heibio Pant Ifan — i'r dde ar y llwybr defaid
ar silff ar graig Tremadog — i'r chwith drwy'r giât — **gofal** —
llwybr serth i lawr wrth ochr yr afon — cadw ar hwn i lawr ac allan
i'r ffordd — i'r dde wrth Ysgol Steiner ac allan i'r ffordd fawr —
dde yn ôl i'r sgwâr.

Y Daith

Mae digon o le i barcio eich car yn sgwâr eang Tremadog, yn
wir mae'r pentref yn nodedig am ei strydoedd llydain.
Maddocks, adeiladydd y Cob sy'n cadw'r môr draw o'r Traeth
Mawr, a gynlluniodd y pentref gan obeithio y tyfai'n dref o bwys,
ond nid felly y bu, gan i dref newydd Porthmadog dyfu'n gyflym
gyda thwf y chwareli llechi a'r diwydiant adeiladu llongau.
Sylwch ar y creigiau serth y tu cefn i'r *Madog Hotel*, a'r waliau a
godwyd i ddiogelu'r tai. Byddwch wrth eu pennau toc, gyda lwc.

Wedi mynd heibio'r ysgol dowch at lwybr llydan, gwastad a
buan y daw'n amlwg mai ffordd haearn oedd 'slawer dydd, yn
cadw'n glir o'r tir corsiog islaw, lle saif pafiliwn Eisteddfod
Genedlaethol 1987 fel llong anferth o hyd. Rhedai'r ffordd
haearn i Chwarel Gorseddau ym mhen uchaf Cwm Ystradllyn a

Pant Ifan

bu cysylltiad hefyd â'r *Prince of Wales Quarry* yng Nghwm Pennant. Mae dros ganrif bellach ers i'r un lechen ddod i lawr y ffordd hon. Gwelais wiber yn cysgu'n braf un bore o haf ar ochr y llwybr, ei lliw brown-goch yr un â'r pridd ond bod ei marciau igam-ogam tywyll yn dangos ei phedigri. Sefais i'w hedmygu ac estyn y camera, ond nesäodd cydymaith trymach ei gerddediad a sleifiodd hithau i ddiogelwch ei choedwig o redyn pan glywodd dabyrddu'r ddaear.

Wrth nesáu at odre'r graig awn i gysgod Coed Alltwen ac yma gwibiodd wiwer lwyd lathen o'm blaen. Roedd yn argoeli diwrnod da, os cadwai'r plant yn ddistaw. Y tro diwethaf i ni gerdded y llwybr, ychydig ddyddiau wedi'r Nadolig, nid oedd fawr o gysgod yn y coed llwydaidd ac roedd carped y mwsog trwchus a orchuddiai'r cerrig a'r coed yn amlycach. Ymddengys enw'r rhes o dai, *Railway Terrace*, yn od braidd heddiw, ond mae'n dystiolaeth o brysurdeb ddoe. Welwch chi gofnod ar fricsen ar y wal sy'n rhoi syniad o oed y tai?

Trown i'r ffordd yn y man, ffordd gul, gysgodol, dawel, gyda gwrychoedd godidog. Y rhedyn, eiddew a'r ddeilen gron oedd amlyca fis Rhagfyr, ond bydd toreth o flodau yma dros fisoedd yr haf. Dringa'r ffordd ar lethrau isaf Craig y Gesail nes dod i ffordd lletach mwy gwastad tu hwnt i Carreg Frech. Yma down i olwg y mynyddoedd, yr Eifl, cribau Dyffryn Nantlle a draw at Foel Hebog. Sylwch bod ffenestri newydd ar gapel Bethel — mae gan rai ffydd yn y dyfodol, mae'n amlwg. Disodlwyd y gwrychoedd gan waliau cerrig a gwelsom ddryw eurben, swil fel ei berthynas y dryw bach, yn neidio i mewn ac allan o gysgod yr eiddew.

Yn fuan wedi troi am Gwm Ystradllyn, cododd crëyr yn ddigyffro o'r afon a diflannu dros y coed helyg. Roedd blanced wlân dros Foel Hebog o'n blaenau, chwyrlïai haid o ddrudwy uwch ein pennau, a chwythai'r gwynt yn oer ar ein hwynebau. Wedi mynd heibio adeiladau anferth Cefn Coch Isaf awn ar y dde ar ffordd Pren-teg ar ffordd agored yn igam-ogamu trwy'r tir corsiog, brwynog, i gyfeiriad Mynydd Gorllwyn. Croeswn lwybr y ffordd haearn eto, ar ei ffordd tua gweddillion y felin. Mae yma enwau difyr ar lawer o'r ffermydd a'r tyddynnod a welwn. Tŷ Newydd er enghraifft, y slabiau llechi yn cysgodi'r drws ffrynt, ac ôl traul y blynyddoedd arno, fe'i codwyd gan rywun, rywdro, oedd â'i fryd ar droi'r gors yn weirglodd ffrwythlon, ir. Cae-yr-eithin-tew wedyn pan dry'r ffordd am Lyn Du, nad oes angen eglurhâd arno. Tyddyn Deucwm, Gesail Gyfarch, Maes-y-llech a mwy i'w gweld eto y tu hwnt i'r bwlch. Oedwch wrth Llyn Du am baned — siawns na welwch y cornchwiglod stwrllyd a'r gylfinir yn eu helfen.

Tu draw i'r llyn, mae'r ffordd yn dringo at greigiau Gorllwyn, nes dod i'r bwlch a dechrau disgyn a golygfa wych yn ymagor o wastatir y Traeth Mawr draw tua Harlech. Yng ngwaelod y rhan serthaf trowch am y Fach Goch, ac i lwybr sydd ganrifoedd o oed. Dyma hen lwybr y porthmyn am Aberglaslyn, yn cadw i'r tir uchel, a chofiwch mai'r môr oedd islaw iddo cyn codi'r Cob. Chwiliwch am y rhychau yn y graig lle bu olwyn ar ôl olwyn yn raddol rychu'r caledwch. Cadwch lygad hefyd am y maen hir yn y cae ar y chwith y tu draw i Fach Goch.

Ymddengys y Cnicht a'r Moelwyniaid dros ysgwydd Mynydd

Gorllwyn wrth i chi nesáu at Bant Ifan. Mae'r 'sgubor yma'n werth ei gweld, edmygwch grefftwaith yr adeiladwyr fu'n codi'r cerrig anferthol. Ewch ymlaen ar draws y cae o flaen y tŷ i gael golwg dros y graig. Os oedwch ddigon mi welwch gwmwl o fwg yn agosáu ac fe glywch bwffian trên bach 'Stiniog yn croesi'r Cob gyda'i llwyth o ddieithriaid. Caewch eich llygaid a dychmygwch — welwch chi'r strimyn hir o wagenni trymlwythog yn dod i olwg y rhes o longau hwyliau wrth angor yng Nghei Greaves? Hawdd dychmygu hynny pe gweloch y llanc yn cario dŵr o'r afon a dychwelyd i Bant Ifan fel y gwelsom ni.

Ewch tua'r dde i gyfeiriad Coed Tan-yr-allt, mae'r creigiau yma yn gyrchfan boblogaidd gan ddringwyr. Efallai y byddwch yn ddigon ffodus i weld Eric Jones, dringwr mwyaf profiadol Cymru, yn ymarfer ei grefft — crefft sydd wedi ei gynorthwyo i drechu anawsterau lu ar ei grwydriadau i ddringo mynyddoedd uchaf a chreigiau serthaf y byd. Ewch am baned i'w gaffi sydd ar fin y ffordd oddi tanoch, ond gwell fyddai i chi gymryd y llwybr hawsaf i gyrraedd yno!

Wedi disgyn drwy gysgod y coed yn sŵn yr afon, dowch allan i'r ffordd ger hen gartref William Maddocks, y gŵr a greodd y fath newidiadau yn y golygfeydd a welsoch o'r creigiau.

15. TRE'R CEIRI A NANT GWRTHEYRN

Cyfarwyddiadau

Hyd: 9m.
Ansawdd: Llwybrau mynydd, ffyrdd gwledig, i fyny ac i lawr!

Cychwyn o Drefor — i fyny heibio'r hen ysgol — cadw ar i fyny at Fwlch yr Eifl. Ymlaen at gwr y maes parcio ac ar y dde i lawr y ffordd i Nant Gwrtheyrn. Yn ôl at y maes parcio — croesi'r ffordd ac i fyny wrth y wal, gan gadw ar y llwybr ar waelod y canol o'r tri mynydd — daw hwn â chi at Dre'r Ceiri. Gallech anelu yn syth at y mynydd canol, taith galetach dros gerrig rhydd. O Dre'r Ceiri cymerwch y llwybr i lawr i'r ffordd rhwng Llithfaen a Llanaelhaearn — i'r chwith i Lanaelhaearn — ym mhen pellaf y pentref troi ar y chwith ar yr hen ffordd am Drefor — cadw ar hon nes dowch ar draws y llwybr am Fwlch yr Eifl — i lawr hwn yn ôl i Drefor.

Y Daith

Awn draw i Drefor ar gyfer y daith hon. Datblygodd y pentref yn sgîl y chwarel ithfaen ar yr Eifl ond mae'n debyg mai trwy'r gyfres *Minafon* y mae'n wybyddus i'r rhan fwyaf ohonom heddiw. Efallai y daw Dic Powell am dro efo chi!

Dringo'r llwybr am Fwlch yr Eifl a wnawn gyntaf, a llwybr eitha chwyslyd ydi o hefyd. Wrth nesáu at y bwlch bydd y chwarel yn agos, fyddwch chi fawr o dro yn picio i'r copa oddi yma. Eisteddwch i gael eich gwynt atoch, blaswch rywfaint o'r llus, a mwynhewch yr olygfa. Tu draw i Gyrn Goch, Gyrn Ddu a'r Bwlch Mawr mae Dyffryn Nantlle, ac mi welwch rai o'r lleoedd y troediasoch eisoes a phentrefi'r Groeslon, Carmel, Rhostryfan a Rhosgadfan yn britho'r llethrau. Ymestynna'r arfordir fel cryman o Drefor hebio Trwyn Maen Dylan i Ddinas

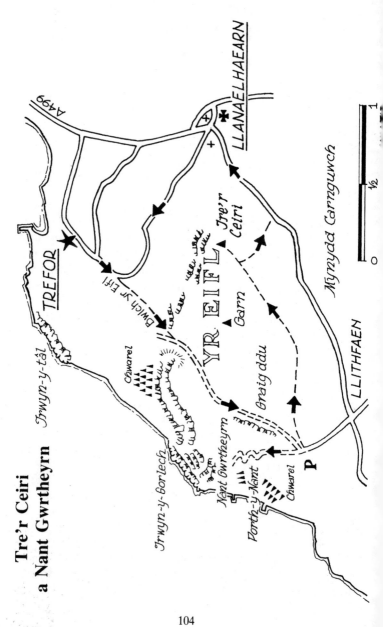

Tre'r Ceiri
a Nant Gwrtheyrn

TREFOR

A499

LLANAELHAEARN

Mynydd Carnguwch

LLITHFAEN

YR EIFL

Bwlch yr Eifl

Garn

Braig ddu

Tre'r Ceiri

Trwyn-y-tâl

Chwarel

Trwyn-y-borlech

Nant Gwrtheyrn

Porth-y-Nant

Chwarel

P

0   ½   1

104

Dinlle a Morfa Dinlle. Mynyddoedd glas dan liwiau'r machlud yw'r Eifl i mi o'm cartref, ond dyma gyfle i edrych tuag adref oddi arnynt.

Wedi cerdded beth ffordd ar y llwybr tu draw i'r chwarel daw pentref Nant Gwrtheyrn i'r golwg, fu'n ddibreswyl am flynyddoedd. Mae'n olygfa i dynnu'ch anadl: y pentref yn swatio'n glòs rhwng dau fynydd a'r môr yn las, las tu cefn. At Graig y Llam gyferbyn yr arferai Rhys a Meinir fynd i wylio'r machlud ers talwm. Wrth y ceubren dan y graig yr addawsant briodi, ac ar risgl y pren y cerfiodd Rhys y geiriau, "Rhys a Meinir, priodwyd Gorffennaf 5ed", ddiwrnod cyn y briodas. Ond ni chyrhaeddodd Meinir eglwys Clynnog ac er chwilio a chwilio'r llethrau coediog a'r creigiau, ni chafwyd hyd iddi. Aeth Rhys yn wallgo gan hiraeth, crwydrai ym mhob tywydd yn galw ei henw, a threuliai oriau wrth y ceubren, eu man cyfarfod. Daeth yn storm enbyd a tharawyd y pren gan fellten nes ei hollti, ac o'i ganol syrthiodd ysgerbwd Meinir â'i gwisg briodas yn rhidyllau amdani. Bu'r sioc yn ormod i Rhys, ac unwyd y ddau o'r diwedd, ym mynwent Clynnog. Dyna'n fyr hanes priodas Nant Gwrtheyrn.

> *Ar hyn dyna flaen adain mellten*
> *Yn ei daro'n gydwastad â'r llawr,*
> *A'r ceubren o'i flaen yn ymhollti*
> *Â thrwst fel daeargryn fawr.*
>
> *Ac ynddo fe welodd cyn marw*
> *Un a syrthiodd i geudod y pren,*
> *Ac esgyrn ei breichiau'n cynnal o hyd*
> *Rubanau priodwisg wen.*
>
> Cynan ("Baled y Ceubren Crin")

"Â thrwst fel daeargryn fawr" — yma yng nghadernid gwenithfaen yr Eifl yr oedd canolbwynt y ddaeargryn a siglodd seiliau Gwynedd gyfan ac a gododd bobl o'u gwlâu mewn dychryn fis Gorffennaf 1984.

Nid chwedl yw'r bennod gyffrous ddiweddaraf yn hanes Nant Gwrtheyrn, ond breuddwyd wedi'i wireddu drwy ffydd a llafur caled. Mae'n dyled fel Cymry yn fawr mewn amryw feysydd i'r Meddyg Carl Clowes, ac ef oedd prif symbylydd sefydlu Ymddiriedolaeth Nant Gwrtheyrn. Bellach trodd ffantasi yn ffaith, a daw dysgwyr yma i dreulio dyddiau pleserus yn y tai adnewyddedig yng Nghanolfan Iaith Nant Gwrtheyrn.

> *Ein geiriau sy'n blaguro — yn yr hollt*
> *Wedi'r hir edwino*
> *Yno'n y gwyll, a hen go*
> *Y genedl yn egino.*

R.J. Rowlands

Ewch i lawr i'r pentref hyd y ffordd newydd, a gwelwch drosoch eich hun y fath weddnewidiad fu yma. Byddai'n werth mynd ymlaen i lawr y llethr drwy'r rhedyn a'r cerrig llwydlas at lan y môr. Mae amryw o flodau pidyn y gog yn tyfu yma. Byddai'n demtasiwn gref i oedi yma am weddill y dydd — gallech ddod yn ôl a chwblhau'r daith i Dre'r Ceiri ar ddiwrnod arall!

Erys taith o lan y môr i gopa'r mynydd o'n blaenau eto. Mae'n dipyn mwy o stryffîg i esgyn y ffordd, ond siawns na fydd awel y mynydd i'ch adfywio pan ddowch i'r brig. Mae'n hawdd dilyn y llwybr draw at Dre'r Ceiri, drwy'r rhedyn, y grug a'r llus.

Cyfrifir y gaer fel un o'r enghreifftiau gorau o geyrydd cerrig yr Oes Haearn. Fel y dowch ati mi welwch y wal amddiffynnol, ac yna wedi mynd drwy'r bwlch daw'r dwsinau o gytiau cerrig crwn i'r golwg. Y pris a dalwyd am boblogrwydd y lle yw fod pobl ddifeddwl yn chwalu'r waliau o dipyn i beth. Wedi dal drycinoedd dwy fil a hanner o flynyddoedd, syrthiasant dan ddwylo fandaliaid. Byddwch yn ofalus wrth grwydro drwy'r cytiau gan eu bod yn lloches i'r wiber. Bu bron i mi afael mewn un unwaith wrth ymestyn am lus a dyfai ynghanol un o'r cytiau. Llithrodd hithau'n osgeiddig rhwng y cerrig, a'i lliw llwydaidd yn toddi i'r garreg. Mae'n hardd o hirbell! Wrth edrych draw tua Aberdesach a Glynllifon, daw chwedl arall i gof.

Ers talwm iawn roedd cyfrol gyfrin yn llawn o wybodaeth bwysig a chyfrinachol ym meddiant ellyll cas a drigai ar gopa'r Eifl. Roedd dewin gwybodus a doeth yn byw yn yr ardal, ac mi hoffai yn fawr iawn gael gafael ar y gyfrol hynod yma. Clywodd gan hwn a'r llall mai Cilmyn oedd y gŵr dewraf yn yr holl ardal, ac felly aeth ato i ofyn ei gymorth. Doedd neb a feiddiai fynd yn agos at gartre'r ellyll creulon. Ond cytunodd Cilmyn ar unwaith i gyrchu'r gyfrol i'r dewin.

Carlamodd ar ei farch i gyfeiriad yr Eifl, a dringodd y llethr serth tua'r gaer ar y copa. Gwelwyd ef gan y gawres, gwraig gas yr ellyll, a hyrddiodd gerrig gwynias o'r tân i lawr y llechwedd. Llwyddodd Cilmyn i osgoi'r cerrig tanllyd a chyrraedd y copa. Bu brwydr ffyrnig rhyngddo a'r ellyll a'i wraig ond o'r diwedd trechodd hwy, cipiodd y gyfrol, a rhedodd am ei fywyd i lawr dros y creigiau geirwon at ei farch. Carlamodd fel y gwynt tuag adref gyda'r gyfrol gyfrin yn swatio'n dynn dan ei gesail.

Dadebrodd yr ellyll, a gwylltiodd yn gacwn pan welodd Cilmyn yn diflannu gyda'r llyfr gwerthfawr. Casglodd ei weision ynghyd a rhuthrasant ar ei ôl. Edrychai Cilmyn dros ei ysgwydd bob hyn a hyn a gwelai'r haid felltigedig yn dod yn nes ac yn nes. O'r diwedd gwelodd afon Llifon o'i flaen. Gollyngodd ochenaid o ryddhad. Byddai'n ddiogel yr ochr draw, darfyddai awdurdod yr ellyll yno. Ond, ar lan yr afon, syrthiodd ei farch dewr yn gelain oddi tano. Clywai Cilmyn sgrechiadau a llŵon yr helwyr mileinig yn nesáu. Safodd ar gorff ei geffyl ffyddlon a llamodd fel llyffant dros yr afon. Glaniodd yn ddiogel ar y dorlan, ond llithrodd un droed yn ôl i'r dŵr. Saethodd poen trwy ei goes, a chrafangodd yn y gwair i dynnu ei hun yn rhydd o grafanc y dŵr. Herciodd yn boenus tua chell y dewin a'r gyfrol gyfrin yn ddiogel yn ei law. Cafodd groeso cynnes gan y dewin. Ceisiodd lanhau ei goes boenus yno, ond ni thyciai dim — bu ei goes yn ddu am weddill ei oes. I gofio'r antur enbyd, lluniodd arfbais gyda llun coes ddu arni a galwyd ef yn Cilmyn Droed-ddu byth ar ôl hynny. Erys y goes ddu ar arfbais teulu Glynllifon hyd y dydd heddiw.

Bu Carl Clowes yn feddyg teulu yn Llanaelhaearn am flynyddoedd a fo hefyd oedd symbylydd Antur Aelhaearn. Bu cyfnod cyffrous cyn hynny yn hanes y pentref pan frwydrwyd i gadw'r ysgol ar agor. Oes, mae gwersi i Gymru gyfan eu dysgu yma wrth droed yr Eifl.

Ffordd fach hynod o ddifyr yw'r un yr ochr arall i'r Eifl yn ôl i Drefor, heb fod arni rhuthr trafnidiaeth y ffordd bost.

16. Y CRIBAU

Cyfarwyddiadau

Hyd: 8m.
Ansawdd: Anodd! Llwybrau mynydd, rhannau creigiog.
Mynyddwyr profiadol yn unig.

Y Daith

Fyddwch chi'n arfer cadw'r danteithion melysaf ar ochr eich plât i'w bwyta ddiwethaf, neu'n cadw ceiriosen o'r gacen i gael sawru ei blas? Dyna wnes innau gyda'r teithiau hyn. Mi grwydrasoch yma ac acw drwy bob twll a chornel o Ddyffryn Nantlle a'r cyffiniau bellach. Ar bob un o'r teithiau hyn, gwyliai rhes urddasol o fynyddoedd eich crwydriadau. Daeth llawer newid, aml dro ar y rhod ers dyddiau Thomas Pennant, Peter Bailey Williams, ac O.M. Edwards — caent hwy olwg wahanol iawn ar bethau heddiw. Ond daeth ymwelydd enwog arall, i eistedd yn hytrach na cherdded, ac ni fu cymaint o newid yn ei argraffiadau ef. Richard Wilson oedd hwnnw, a baentiodd ei ddarlun enwog o'r Wyddfa, gyda'r Mynydd Mawr a'r Garn yn ei warchod. Diflannodd Llyn Nantlle Isaf dan law dyn, do, ond go brin y medr dyn yr oes dechnegol wyrthiol hon symud mynyddoedd!

Aros, i ni gael eu troedio o'r diwedd, ond gyda gofal a pharchedig ofn. Ni fedraf bwysleisio gormod bwysigrwydd parchu'r mynyddoedd, dyma sut i gael y gorau ohonynt. Ac erys un o'r teithiau mynydd gorau yng Nghymru i chwi ei mwynhau yn awr.

Cychwynnwn o'r maes parcio yn y Rhyd-ddu, safle'r hen orsaf (gw. "Y Trên Bach", *Lloffion*, T.H.P.W.), croesi'r ffordd ac ar y llwybr gan gadw Llyn y Gadair ar y chwith. Mae tir gwlyb yma ond mae llechi a cherrig ar y llwybr. Tyf llafn y bladur a helygen Mair gyda'i arogl hyfryd yma. Croeswn afon Gwyrfai ar ei ffordd

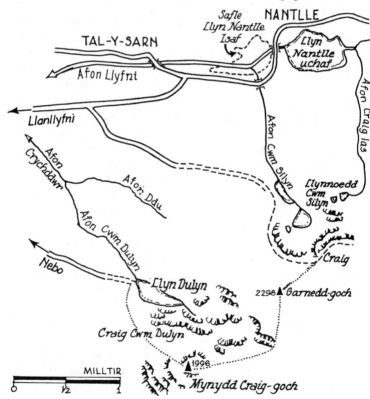

Taith y Cribau

rhwng Llyn y Gadair a Llyn Cwellyn wrth hen felin wlân (gw. "Teulu'r Ffatri", *Myfyrdodau*, T.H.P.W.).

Yr ochr draw i'r felin, cyn mynd at y ffordd, mi welwch degeirian y gors. Ar dir Drws-y-coed Uchaf y mae'r llwybr, a'u defaid hwy fydd yn pori ar lethrau serth y Garn. Wrth gerdded mynyddoedd fel hyn, tueddwn i anghofio am y rhai sy'n gweithio arnynt. Efallai i chwi weld Hugh Hughes a'i fab yn bugeilio mewn rhaglen deledu ar fywyd yn Eryri: nid ar chwarae bach mae gofalu am ddefaid ar fynyddoedd creigiog, drycinog fel hyn. Yn Nrws-y-coed Uchaf bellach mae'r lechen arferai fod ar dalcen yr hen Ddrws y Coed wrth Lyn y Dywarchen â'r geiriau hyn arni.

> *Dymuniad calon yr adeiladydd*
> *Yr hwn a'th wnaeth o ben bwygilydd*
> *Fod yma groeso i Dduw a'i grefydd*
> *Tra bo garreg ar eu gilydd.*

Adeiladwyd gan W.G. 1779
(gw. "Y Tri Llyn", *O'r Pedwar Gwynt*, T.H.P.W.).

Cewch groeso cartrefol tŷ fferm yno, a stôr o wybodaeth am yr ardal a'i thraddodiadau.

Dilynwch y saethau i gadw ar y llwybr, ac yna pan fforcha, — cadwch ar i fyny (tua'r goedwig a Bwlch Ddeilior yr â'r llall). Mae dringo serth ar wair i gyrraedd copa'r Garn, a gall fod yn llithrig gan fod ôl traul arno yma ac acw. Wedi dod at dir mwy gwastad, ewch dros y gamfa a thros y cerrig at gopa'r Garn. Dyma gyfle i fwynhau'r olygfa gyntaf o amryw o'r uchelderau. Mi welwch i lawr y dyffryn tua'r llyn a'r chwareli ac yn union gyferbyn mae creigiau ysgithrog Craig y Bera, ac wrth gwrs yr Wyddfa yn ei holl ysblander. Gwelwch ran gyntaf eich taith tua'r gorllewin hefyd. Rhed y llwybr wrth ochr y wal ac yna dringa'n serth dros y creigiau i gopa main Mynydd Drws-y-coed. Dyma un o lefydd anoddaf y daith, gyda dibyn Clogwyn Marchnad ar y dde. Mae angen defnyddio'r dwylo yma ac acw i ddringo dros y creigiau.

I lawr y creigiau eto yr ochr arall i'r copa, ac yna mae'r grib yn lledu a chewch gerdded ar wair i gopa llydan Trum-y-ddysgl. Gallech gyrraedd yno trwy barhau ar lwybr Cwm Pennant i Fwlch Ddeilior ac yna troi ar y dde heibio ochr y coed.

Mae'r grib yn fain o'ch blaen yn awr, a'r tŵr ar gopa Mynydd Tal-y-mignedd yn tyfu fel y nesäwch. Mae toriad yn y llwybr ar ganol y grib lle mae'n rhaid bod yn ofalus. Dwi'n cofio mynd i lawr ar y chwith yma un tro, ar fy mhen ôl beth o'r ffordd, a chael helfa wych o lus yn uchel ar y llethr cyn dringo i lawr i Gwm Dwyfor. Mae'n demtasiwn bwyta gormod o'r llus wrth eu casglu! Lleda'r llwybr eto i fyny at gopa Mynydd Tal-y-mignedd, ewch i'r chwith o'r wal i gyrraedd y tŵr. Codwyd hwn gan y chwarelwyr a arhosai yn y barics yn chwarel y Prince of Wales ym mhen uchaf Cwm Pennant. Cryn gamp yn wir! Mae Llyn Nantlle Uchaf oddi tanoch yn awr a nifer o fân-ffrydiau'n hyrddio i lawr o Gwm Ffynnon gyda'i lyn bychan. Defaid Tal-y-mignedd fydd yma, ffermdy hynafol arall, ym meddiant teulu fu'n amlwg ym mywyd diwylliannol a chrefyddol ardal Drws-y-coed.

Mae hanner milltir wastad, hawdd ar ysgwydd lydan, yna i lawr llethr serth nes cyrraedd Bwlch Dros-bern lle rhedai hen lwybr o Nantlle i Gwm Pennant. Yna, rhaid dringo crib fain, greigiog arall i gyrraedd copa Craig Cwm Silyn. Gofal yma eto. Dyma'r ehangder mwyaf ar ben unrhyw un o'r mynyddoedd — mae milltir weddol wastad rhyngoch a'r Garnedd-goch, gyda nifer o garneddau yma ac acw, clystyrau caregog a llecynnau gweiriog. Tyf y grug, llus a'r creiglys yma, dros ddwy fil o droedfeddi uwchlaw'r môr. Gwelwch y pentrefi, olion y chwareli, a'r gwastatir tua'r môr, pob man a droediasoch ar y teithiau blaenorol. Medrwn aros yma drwy'r dydd ar ddiwrnod cynnes. Gallwch, gyda gofal, fynd at y pigyn o graig fel castell a saif yn union uwchben y llynnoedd ac edrych i lawr ar Gwm Silyn. Mae'r lliwiau'n wych yn yr haf, gwyrdd tywyll y rhedyn, porffor y grug, glas y llynnoedd, y gwair euraidd, a'r cerrig llwydion yn ymdoddi'n glytwaith ogoneddus. Heblaw am Fynydd y Cilgwyn, cynefin fy mhlentyndod, mae'n debyg mai hwn yw fy ffefryn o holl fynyddoedd Eryri.

Cwm Silyn

O Graig Cwm Silyn tua'r Wyddfa

"Onid ydym wedi profi yn fynych, pan fom yn croesi mynydd uchel, ein bod yn myned trwy gyfnewidiad trwyadl o ran nerth a bywiogrwydd? Y fath ysgafnder a hoen a deimlir ar unwaith! — nid yn unig y mae'r corff yn ysgafnhau, ond hefyd yr ysbryd. Y mae'r dychymyg yn bywiogi, a'r meddwl yn ei holl alluoedd yn fwy cyflym ei weithrediad."

O.M. Edwards (Y Mynydd)

Felly'n union y teimlaf innau wrth dreulio oriau yn ehangder gwyllt y mynydd.

Oddi yma mae dewis o lwybrau. Gallwch droi i lawr wedi cyrraedd pen draw'r graig, gan gadw'r cwm ar y dde. Aiff y llwybr i lawr wrth ochr y cwm ac yna at y llwybr wrth ochr y llyn. Dilynwch hwn yn ôl at ben y ffordd. Neu gallwch fynd yn eich blaen i gopa'r Garnedd-goch ac ymlaen wedyn i gopa Mynydd Craig-goch ac i lawr yr ochr bellaf i Gwm Dulyn ac i bentref Nebo.

Dibynna eich dewis ar eich trefniadau i gael cerbyd yn eich aros ar ben eich taith. Gallech hefyd gychwyn o'r pen yma a chadw'r Wyddfa o'ch blaen trwy'r daith. Ond gwell gen i'r ffordd a ddisgrifiais, efallai am y wynebwn Ddyffryn Nantlle wrth wneud!

A dyna ben y daith, a diwedd ar y casgliad yma o deithiau. Cychwynasom ar lan y môr yn Ninas Dinlle a dyma ni'n diweddu'n edrych i lawr ar bobman. Hyderaf i chwi gael rhywfaint o foddhad wrth eu darllen, ond cofiwch mai llyfr i'ch tywys i gerdded yw hwn ac nid llyfr cadair freichiau. Fedr geiriau na lluniau fyth fod yn ddigonol — rhaid profi drosoch eich hunan.

. . .*"rhowch i mi Eryri foel, er hyn,*
Lle caf fynyddoedd noeth a glas y nef,
Rhowch imi'r fawnog laith a'i hambell lyn,
Heb ddim yn brifo'r heddwch mwy ond bref,
Lle cronnir tragwyddoldeb i bob awr
O hwyr haf tawel yr unigedd mawr."

Mathonwy Hughes (Mynydd i Mi)

DARLLEN PELLACH

Pennod 1

O.M. Edwards, *Yn y Wlad*.

Gilbert Williams, *O Foeltryfan i'r Traeth* (Hanes Rhedynog).

O.M. Edwards, *Yn Y Wlad ac Ysgrifau Eraill* (Hughes a'i Fab, Wrecsam, 1921 ac 1958).

John Rhys, *Celtic Folklore* Cyfrol 1 a 2 (Wildwood House, Llundain, 1980).

Pennod 2

T.M. Bassett/B.L. Davies, *Atlas Sir Gaernarfon* (Cyngor Gwlad Gwynedd, 1977).

E.V. Breeze Jones (Testun), Islwyn Williams (Darluniau), *Adar yr Afonydd a'r Llynnoedd* (Gwasg Dwyfor, 1982).

W. Gilbert Williams, *O Foel Tryfan i'r Traeth* (Cyhoeddiadau Mei, 1983).

Pennod 3

Twm Elias, *Blodau Glannau'r Môr* (Gwasg Dwyfor).

E.V. Breeze Jones (Testun), Islwyn Williams (Darluniau), *Adar y Glannau*.

Pennod 5

Royal Commission on Ancient Monuments - Caernarfonshire.

Tecwyn Jones, *Llywelyn Ein Llyw Olaf*, (Gwasg Prifysgol Cymru, 1982).

Gwynfor Evans, *Aros Mae* (Gwasg John Penry, 1971).

Pennod 6

Kate Roberts, *Y Lôn Wen* (Gwasg Gee, Dinbych, 1960).

Kate Roberts, *Te yn y Grug* (Gwasg Gee, Dinbych, 1959).

Kate Roberts, *Traed Mewn Cyffion* (Gwasg Aberystwyth, 1936).

Pennod 7

J. Lindsay, *A History of the North Wales Slate Industry* (David & Charles, Newton Abbot, 1974).

I. Hughes, *Chwareli Dyffryn Nantlle* (Cyhoeddiadau Mei, 1980).

Dewi Tomos, *Llechi Lleu* (Cyhoeddiadau Mei, 1980).

J.I.C. Boyd, *Welsh Highland Railway*, 'Narrow Gauge Railways in South Caernarvonshire', Vol. 2.

Pennod 8

Mathonwy Hughes, *Myfyrion* (Llyfrau'r Faner, 1973).

Mathonwy Hughes, *Gwin y Gweunydd* (Gwasg Gee, Dinbych, 1981).

Mathonwy Hughes, *Atgofion Mab y Mynydd* (Gwasg Gee, Dinbych, 1982).

Mathonwy Hughes, *Ambell Gainc* (Gwasg Gee, Dinbych, 1957).
Mathonwy Hughes, *Ar y Cyd* (Gwasg y Sir, Bala, 1962).
R. Williams Parry, *Yr Haf* (Gwasg Gee, Dinbych, 1970).
R. Williams Parry, *Cerddi'r Gaeaf* (Gwasg Gee, Dinbych, 1952).
Melfyn R. Williams, *Doctor Alun* (Y Lolfa, Talybont, 1977).

Pennod 10

J.I.C. Boyd, *Narrow Gauge Railways in North Caernarfonshire*, Cyfrol 1 Gorllewin (The Oakwood Press, Salisbury, 1981).

Pennod 11

R. Bryn Williams, *O'r Tir Pell* (Gwasg Brython, Lerpwl, 1972).
T. Rowland Hughes, *Cân neu Ddwy* (Gwasg Gee, Dinbych, 1948).
Rol Williams, *Heibio Hebron.*

Pennod 12

Thomas Pennant (cyf. John Rhys), *Teithiau yng Nghymru* (H. Humphries, 1810).
D. Machreth Ellis, *Llên Gwerin Sir Gaernarfon* (Gwasg Gwynedd, 1975).
Peter Bailey Williams, *Tourists Guide Through the County of Caernarvon, 1821).*

Pennod 13

Gol. Ifor Rees, *Bro a Bywyd T.H. Parry-Williams* (Cyngor Celfyddydau Cymru, 1981).
T.H. Parry-Williams, *Myfyrdodau* (Gwasg Aberystwyth, 1957).
T.H. Parry-Williams, *Cerddi, Rhigymau a Sonedau* (Gwasg Aberystwyth, 1931).

Pennod 14

Twm Elias, *Y Porthmyn Cymreig*, Llyfrau Llafar Gwlad (Gwasg Carreg Gwalch).
Aled Eames, *Heb Long wrth y Cei*, Llyfrau Llafar Gwlad (Gwasg Carreg Gwalch).

Pennod 15

Saunders Lewis, *Straeon Glasynys* (Gwasg Gee, Dinbych, 1943).
Cynan, *Cerddi Cynan* (Gwasg y Brython, Lerpwl, 1959).

Pennod 16

T.H. Parry-Williams, *Myfyrdodau* (Gwasg Aberystwyth, 1957).
T.H. Parry-Williams, *O'r Pedwar Gwynt* (Gee a'i Fab, Dinbych, 1944).
T.H. Parry-Williams, *Lloffion* (Gee a'i Fab, Dinbych, 1942).
Gol. Ifor Rees, *Bro a Bywyd T.H. Parry-Williams* (Cyngor Celfyddydau Cymru, 1981).
W.A. Poucher, *The Welsh Peaks* (Constable, Llundain, 1962).
Iolo ap Gwynn, *Mynydda* (Y Lolfa, Talybont, 1978).